MON CAHIER
RITUEL POWER

POWA

ILLUSTRATIONS
ISABELLE MAROGER ((OUVERTURE)
SOPHIE RUFFIEUX (INTÉRIEUR)

SOMMAIRE

Introduction

Malgré nos efforts pour mener une vie en conscience, nous fonctionnons toutes en mode pilote automatique… Entre le boulot qui nous prend un maximum de temps, nos voyages à l'autre bout de la planète, nos sorties entre copains (sans oublier les tâches plus ingrates qui sont aussi chronophages !), on a bien du mal à trouver du temps pour s'occuper de soi ! Dommage, c'est pourtant le cœur d'une vie épanouie !

Avez-vous pensé aux rituels ? Ces petits gestes dont on fait des habitudes ont des pouvoirs magiques ! Ils agissent sur le cerveau, si bien qu'un petit rituel régulier a de grands effets bien-être ! Feel good, énergie, positive attitude, ils agissent dans tous les domaines !

Des rituels bien élaborés et réalisés avec soin pourraient bien être la solution pour prendre soin de votre corps comme il le mérite, chouchouter votre mental pour qu'il soit plus résistant, développer votre créativité comme vous l'avez toujours rêvé, partir à la découverte de votre féminin sacré ou, encore mieux, comprendre les fluctuations liées aux saisons.

Fini, les matins en stress, les insomnies, le corps rouillé et la motivation à plat. Bonjour, la sérénité intérieure, la fierté personnelle et le bonheur de mener une vie épanouie ! Bienvenue dans le rituel power !

Test : Quelle rituel girl êtes-vous ?

Vous êtes plutôt en mode «pilote automatique» ou «pilote de ligne»? Quand on se rend compte que notre vie est une succession de tâches et que nous les réalisons la plupart du temps de manière automatique, ça soulève un tas de questions! Et pour cause, avoir conscience de ce que nous réalisons, y apposer des intentions claires et précises peut être réellement bénéfique pour améliorer notre quotidien, notre sensation de bien-être et d'accomplissement personnel. Et vous, entre procrastinatrice hors pair et rituel girl accomplie, où vous situez-vous?

Lorsque vous démarrez votre journée, vous commencez par la tâche qui vous demande le plus d'efforts.

▲ Toujours, je n'y déroge absolument jamais!
● Jamais, plutôt mourir!
◆ De temps en temps, je manque de régularité!

Lorsque vous instaurez de nouvelles routines bien-être, vous tenez généralement :

● Quelques jours à peine, faut pas abuser.
◆ Quelques semaines max, et c'est déjà pas mal.
▲ Quelques mois sans problème, je suis une warrior.

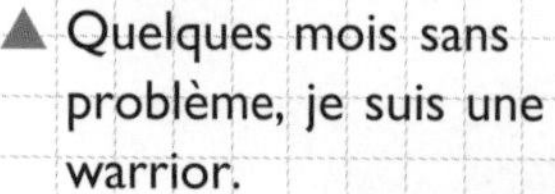

Prenez-vous le temps de réaliser en conscience des actions healthy?

◆ Quelquefois, ça dépend des périodes.
▲ Quotidiennement ou presque, c'est une vraie hygiène de vie.
● Never!

Pour vous, matin rime plutôt avec :

● Chagrin, je me traîne en dehors du lit avec difficulté.
▲ Faim, je me lève avec une pêche d'enfer et j'ai hâte de prendre mon petit déjeuner!
◆ Mi-figue, mi-raisin, mes matins ne sont jamais semblables.

Votre repas de midi, c'est plutôt :

● Avalé à la va-vite sans trop faire attention.
▲ Cuisiné avec soin la veille et avalé en conscience pendant un temps calme.
◆ Ça dépend de mon travail et de ma motivation.

Vous avez une majorité de ● : *Vous êtes une rituel girl overbookée.*

Vous êtes une procrastinatrice hors pair qui court après le temps. Vous n'avez jamais le temps de rien, si bien que vous avez du mal à tenir vos rituels sur la longueur. Un imprévu dans votre emploi du temps, trop de fatigue, et vous zappez votre rituel. Vous abandonnez vos bonnes résolutions bien-être avec une facilité déconcertante ! Pourtant, ce n'est pas l'envie qui vous manque, et mettre en place des rituels vous permettrait de vous sentir plus en forme. Mais vous n'avez pas les outils pour ça. Dommage, vous avez l'intime conviction que ça pourrait bien changer votre vie…
Ce dont vous avez besoin ? Une meilleure organisation de vos journées pour des rituels plus pérennes ! Grâce aux programmes quotidiens ou hebdomadaires de ce cahier, vous trouverez la régularité nécessaire pour tenir sur la durée !

Vous avez une majorité de ◆ : *Vous êtes une rituel girl intermittente.*

Vous vous investissez dans certains domaines, mais délaissez totalement les autres ; vous êtes pleine d'envies, mais vous n'avez pas la motivation de passer à l'action. Vous êtes comme ça, vous avez du mal à vous forcer, et pourtant certaines pratiques bien-être demandent un certain engagement au départ. De toute façon, l'irrégularité, c'est un peu l'histoire de votre vie depuis que vous êtes petite. Vous vous enflammez, mais c'est éphémère, ou bien ça ne débouche sur rien de concret. En plus, vous avez du mal à vous remotiver après une période de down prolongé, vous avez l'impression que c'est de plus en plus dur…
Vous avez besoin qu'on vous épaule dans la mise en place de rituels bien-être ! Ça tombe bien, vous avez tout dans ce cahier : la routine est toute prête, avec sa durée, le bon moment pour l'instaurer, ses bienfaits (de quoi vous motiver !) et le type d'effort à fournir pour atteindre le plaisir. MO-TI-VÉE !

Vous avez une majorité de ▲ : *Vous êtes une vraie rituel girl !*

La procrastination, vous ne connaissez pas, et vous avez déjà mis en place plusieurs routines bien-être dans votre quotidien. Pour autant, vous aimez le changement et vous êtes toujours à la recherche de nouvelles idées et de nouveaux rituels. Pour vous, varier les plaisirs est absolument indispensable ! Dans ce cahier, vous trouverez des rituels inédits à tester et des enchaînements bien pensés pour améliorer encore vos routines. C'est par ici !

Chapitre 1

La magie des rituels, comment ça marche ?

Les rituels, de simples habitudes ? Pas du tout ! Les rituels sont bien plus puissants que vous ne l'imaginez ! Ils sont une vraie méthode pour adopter durablement des comportements bénéfiques pour votre corps et votre esprit ! N'est-ce pas ce que l'on recherche toutes ?

Un rituel, c'est quoi ?

Les rituels, ce sont des gestes bien particuliers, effectués régulièrement dans un objectif de bien-être. Ils peuvent être réalisés avec des gestes simples ou plus complexes. Ce qui les rend magiques, c'est qu'ils sont exécutés en conscience et avec l'intention de vous faire du bien. Ça change tout ! Mais ce qui contribue surtout à la magie des rituels, c'est leur capacité à agir sur le cerveau, à le transformer, mais aussi à décupler leur effet grâce à la répétition.
Bienvenue dans le monde merveilleux des rituels !

De petits rituels produisent de grandes choses : bonjour l'effet papillon !

Rituel = effet bien-être décuplé !

La plasticité cérébrale, vous connaissez ? C'est simple ! C'est la capacité de notre cerveau à créer de nouvelles connexions. Si vous réalisez des rituels healthy de manière régulière, vous sollicitez ce

mécanisme qui permet, à moyen terme, de les suivre avec de plus en plus de facilité. Bref : vous imprégnez votre cerveau. C'est pour cela que les rituels renforcent vos gestes du quotidien. Un petit rituel bien-être réalisé tous les jours a un effet beaucoup plus efficace qu'une grosse séance ponctuelle.

Toujours plus d'effets avec de moins en moins d'efforts

La règle : *use it or lose it, use it and improve it.* Cela veut dire que plus vous répétez un rituel et plus il a d'effet (et inversement !). Les premières fois sont toujours un peu difficiles, mais à force de répétition, vos réseaux de neurones se renforcent, et alors, pratiquer vos rituels vous demandera de moins en moins d'efforts ! En effet, plus vous pratiquez et plus vous mobilisez le mécanisme de plasticité cérébrale, plus vous ancrez profondément les bienfaits recherchés. Par contre, si vous zappez votre rituel, cette compétence va se dégrader petit à petit. Restez motivée !

Plus c'est régulier, plus c'est efficace !

Répéter votre rituel, c'est bien. Mais le répéter le plus souvent possible, c'est mieux. C'est comme pour le sport : si vous pratiquez 3 fois par semaine, vous progressez plus rapidement qu'avec une seule séance, et vos résultats sont exponentiels. En fait, lorsque nous réalisons une action, un message nerveux est envoyé d'un neurone à un autre. Au début, le circuit n'est pas bien balisé et l'information met du temps à parvenir. Mais plus vous répétez cette action, mieux le chemin est balisé et plus l'information passe rapidement, créant au passage de nouveaux circuits neuronaux. Vous étendez alors votre compétence initiale. Si vous souhaitez créer une nouvelle hygiène de vie, démarrer de nouveaux rituels healthy, vous avez plutôt intérêt à les répéter plusieurs fois par semaine. Résultats garantis !

Combien de temps faut-il pour que ça marche ?

Ne vous attendez pas à tout bouleverser du jour au lendemain ! Ok, la plasticité cérébrale, c'est magique, mais ça reste un processus qui a besoin de temps. Il n'existe pas de données précises indiquant le nombre de répétitions et le temps nécessaires à la création de nouveaux circuits neuronaux. Alors, soyez patiente, ne vous découragez pas et restez régulière. Sans régularité, pas d'effet. *Use it or lose it, remember?*

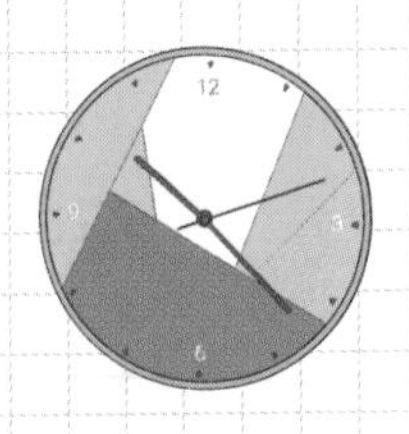

Le pouvoir de l'intention

Mais un rituel, ce n'est pas seulement une habitude. Quand vous mangez votre tartine sur le pouce le matin, stressée parce que vous êtes encore en retard, cela ne vous apporte pas tant de bonheur que ça, n'est-ce pas ? La touche magique pour un vrai rituel de bien-être qui change la vie ? L'intention et la conscience !

Je pose une intention

In the mood for... rituels !

Avant, les rituels étaient des cérémonies religieuses, constituées de gestes, de symboles et de prières codifiés selon un cérémonial précis. Ils portaient aussi une intention précise : demander aux dieux une bonne récolte, par exemple. Pas question de vous transformer en chamane ! Cependant, vos rituels peuvent s'apparenter à de petites cérémonies : préparation, installation de votre espace et des objets dont vous avez besoin, exécution de gestes précis... Et cette succession d'actions vous permet d'entrer dans votre rituel et de poser une intention !
Par exemple : « Je vais faire mon rituel du matin pour être pleine d'énergie toute la journée. »

L'intention, à quoi ça sert ?

L'intention est ce qui rend le rituel efficace ! Une intention, c'est l'état d'esprit qui vous dispose à créer ou recevoir les bienfaits de votre rituel. C'est le but que vous recherchez en le pratiquant. Par exemple, vous vous rendez au bureau tous les matins, c'est une répétition mais sans intention de bien-être et cela ne vous apporte pas de bienfaits. Alors que créer un rituel de massage chaque semaine pour vous sentir bien va vous offrir un maximum de bienfaits !

Le truc ? La loi de l'attraction !

Nous attirons et nous devenons ce que nous pensons, tout simplement. Par exemple, si vous choisissez de pratiquer un rituel d'automassage tous les 2 jours, l'effet sera très différent si vous réalisez cet automassage de manière mécanique, simplement parce que vous l'avez prévu, ou avec l'intention claire de vous faire du bien, de vous donner de l'énergie. Si vous posez cette intention et la gardez en tête tout au long du rituel, votre cerveau va envoyer de bonnes ondes à votre corps et vous allez être attentive, faire les bons gestes. Cela sera beaucoup plus efficace et bénéfique sur tous les plans ! Ce principe simple de recevoir ou de devenir ce que nous pensons s'appelle la loi de l'attraction. VOUS avez ce pouvoir, ne l'oubliez pas !

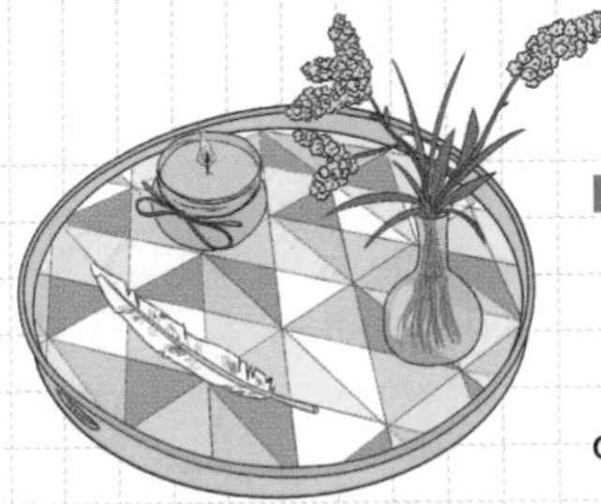

L’intention présente du début à la fin

Pour amplifier le rituel power, posez cette intention dès la création du rituel et gardez-la lors de la phase de préparation. Si vous choisissez de réaliser un rituel matinal énergisant, l’intention liée doit être présente dès le saut du lit. C’est tout un état d’esprit !

J’ancre mon intention

Poser une intention, c’est orienter tout le rituel. Cela influence même le choix des objets ! Pour vous faire du bien avec un massage, vous n’allez pas choisir une crème dont vous détestez l’odeur, ce serait contre-productif ! Chaque objet doit être choisi intentionnellement selon la symbolique qu’il vous évoque. Puisqu’un rituel est un moment privilégié pour vous, vous allez peut-être avoir envie de créer un petit espace pour le pratiquer, avec quelques objets qui vous mettent dans le mood. Pour ça, les rituels traditionnels restent une vraie source d’inspiration : de l’encens, un bouquet de sauge, une bougie, des instruments de musique comme des bols tibétains ou des gongs, des plumes… Ces objets sont des symboles forts et universels, ils évoquent les 4 éléments qui vous ancrent dans le moment présent. Avec des objets symbolisant votre intention de bien-être, vous renforcez la puissance de votre intention ! Qu’ils aient ou non une symbolique particulière, les objets du quotidien peuvent aussi servir à vos rituels ; à vous d’y apposer une intention.

Un geste fait en conscience

Vous avez l’habitude du pilotage automatique ? C’est normal ! C’est un mécanisme que notre cerveau adore et qui lui permet d’économiser de l’énergie. Il enclenche une série de gestes que nous faisons sans en avoir réellement conscience. C’est d’ailleurs pour cela qu’il nous est possible de descendre des escaliers tout en cherchant nos clés dans notre sac à main. Le problème ? Si l’on ne sort pas de ce mode, pas d’intention et pas d’efficacité pour les rituels !

La technique de la pleine conscience

Pour être efficace dans ses rituels, il faut être concentrée sur son but et présente à ce qu’on fait. C’est le principe de la pleine conscience, ou présence attentive. Initialement utilisée dans le bouddhisme et aujourd’hui largement diffusée à travers la MBSR (*Mindfulness-Based Stress Reduction*) développée par le professeur Jon Kabat-Zinn, la pleine conscience désigne l’attention vigilante à nos gestes, nos motivations et nos sens. Cela suppose de ne pas se laisser envahir par des pensées (« j’aurais dû faire ça », « il va falloir que je fasse ci »…). Vous restez focalisée sur le présent, sur vos gestes et vos sensations. On coupe le cerveau et on se connecte à son corps ! Il ne s’agit pas de s’empêcher de penser (ce qui est difficilement réalisable), mais de s’observer penser avec bienveillance et sans jugement.

Je teste la pleine conscience!

Entraînez-vous en réalisant l'exercice du grain de raisin, un grand classique de la méditation de pleine conscience! Fermez les yeux, puis prenez deux grains de raisin entre vos doigts. Observez les sensations tactiles pendant quelques minutes. Puis, portez un grain au niveau de vos oreilles, roulez-le entre vos doigts, écrasez-le légèrement pour percevoir tous les bruits subtils. Portez le grain de raisin à votre bouche et promenez-le sur votre langue, votre palais et vos joues. Une fois le goût et la texture bien intégrés, vous pouvez mastiquer le grain, le savourer lentement. La dernière étape consiste à ouvrir les yeux pour observer le second grain de raisin, les reflets de la lumière dessus, les éventuels suintements, les rugosités…

Rituel *vs* habitude

Vous avez envie de prendre votre vie en main, de vous faire du bien? Vous avez commencé en mettant en place de bonnes habitudes? C'est un très bon début. Mais c'est sans comparaison avec l'effet des rituels. En posant une intention, vous exacerbez la conscience de vos actions et leurs effets. L'intention et la conscience potentialisent tous les bienfaits d'une bonne habitude.

Le rituel, how to use?

Pendant combien de temps faire mon rituel?

Pour qu'un rituel soit efficace, l'idéal est de le réaliser régulièrement sur un temps long. Cependant, il est possible de mettre en place ponctuellement un rituel SOS. Par exemple, pour sortir la tête de l'eau durant une période difficile : pendant quelques semaines, allez marcher en forêt tous les 2 jours, puis prenez un bain chaud en regardant votre série préférée. L'intention de ce rituel est de vous donner des impulsions positives et de vous détendre. Ce rituel peut être réalisé pendant 3 semaines avant d'être remplacé par un rituel moins astreignant sur un temps plus long. Tout est une question d'équilibre! Alors, team court terme ou long terme? Réponse n° 2! Les rituels n'ont pas pour vocation d'être une solution de crise mais plutôt un style de vie, même s'il y a des exceptions!

Quand appliquer les rituels?

À vous de voir! Il n'y a pas de règle, hormis d'éviter les plages horaires à risque au niveau perso (Chéri qui nous sollicite toujours au mauvais moment!) ou pro (la boss qui nous met sur un gros dossier tous les soirs jusqu'à 20 heures!). Calculez le temps dont vous avez besoin et trouvez le créneau adéquat. Veillez à programmer ce rituel à un moment où vous avez de l'énergie ! Si vous prévoyez de réaliser un rituel long et fastidieux tous les soirs avant de vous coucher, il y a de fortes chances que vous abandonniez rapidement. Réfléchissez bien avant d'établir votre planning de rituels !

Pour les rituels à temporalité spécifique comme les rituels matinaux, aucune autre option n'est possible que de les réaliser au moment adéquat ! Cependant, vous pouvez prévoir un rituel court et faire un petit effort d'organisation. Prenez une feuille et un papier et listez les solutions pour les caser dans votre emploi du temps !

La routine, comment ça marche ?

Si vous avez décidé de réaliser une succession de rituels, alors vous vous apprêtez à adopter une routine, et ça c'est top ! C'est le high level du rituel power ! Plusieurs possibilités s'offrent à vous :

1. Réaliser un seul rituel avec une seule intention (exemple : la salutation au soleil tous les matins avec une intention d'ancrage).
2. Réaliser une routine de plusieurs rituels différents mais tous sous-tendus par la même intention (exemple : la salutation au soleil, puis une méditation et une visualisation avec une seule et unique intention d'ancrage).
3. Réaliser une routine de plusieurs rituels ayant chacun sa propre intention (exemple : une salutation au soleil pour l'ancrage, puis un automassage pour stimuler l'énergie corporelle et une tisane pour purifier le corps). Évidemment, ces différentes intentions ont tout de même une cohérence entre elles.

Les 5 raisons d'ajouter des rituels à votre vie

Vous n'êtes pas encore complètement convaincue ? Voici 5 raisons qui devraient vous faire changer d'avis !

1. Pour booster ma positive attitude !

Si vous vous engagez à réaliser plusieurs petits rituels dans votre semaine, leur accumulation aura un effet positif exponentiel dans votre vie. Les petits instants de mood positif peuvent tout changer ! Un rituel sert à vous offrir du bien-être, ce sont donc des petits bonheurs aux grands effets.

2. Pour me sentir mieux dans mon corps

Pratiquer les rituels en conscience permet déjà de se reconnecter à ses sens et à son corps. Mais si, en plus, l'intention donnée à votre rituel est de vous cocooner et de vous faire du bien, alors bingo ! Si les rituels corporels sont essentiels pour se sentir bien, les adapter selon la saison est très important, car les besoins de votre corps sont différents au fil de l'année. Grâce aux rituels, vous allez apprendre à écouter votre corps, à accompagner ses fluctuations d'énergie et à optimiser son potentiel !

3. Pour avoir une tête plus légère

Rien de mieux qu'un rituel pour se détendre le soir quand on rentre du travail. Écriture, méditation, respiration… les rituels chouchoutent votre esprit. En plus, c'est la meilleure manière d'améliorer votre créativité et d'expérimenter le flow, cet état de bien-être que l'on ressent quand on crée quelque chose qui nous plaît et qui mobilise toutes nos capacités.

4. Pour avoir une vie plus healthy

Les rituels boostent le bien-être et l'épanouissement personnel (sinon, on les appellerait plutôt des mauvaises habitudes !). Se lever de bonne humeur, faire quelques étirements, prendre un bain aux huiles essentielles tous les dimanches, manger en pleine conscience… l'idéal pour créer un équilibre et une sensation feel good sur le long terme !

5. Pour avoir une vie plus productive !

Même si ce n'est pas votre intention première, réaliser des rituels healthy vous donnera une énergie et une envie de vous dépasser que vous n'avez peut-être jamais ressenties. Yapluka ! Avec des rituels énergisants quotidiens, des rituels pour muscler la volonté et la force intérieure, vous serez au top !

Chapitre 2

Les 11 commandements de la rituel girl boss

Savoir ce que sont des rituels c'est bien, réussir à les mettre en place c'est un bon début, et réussir à tenir dans la durée, c'est le top ! Pour que ça fonctionne, vos rituels doivent être consciencieusement construits dès le départ, en insistant bien sur la part de plaisir mais aussi en anticipant les éventuels coups de mou qui vous pousseraient à tout laisser tomber. Voici donc les 11 commandements à connaître avant de se lancer pour devenir une rituel girl boss !

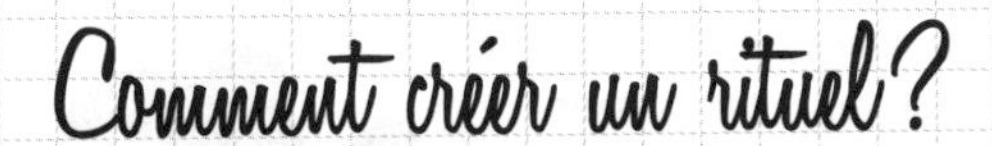

Comment créer un rituel ?

Commandement n°1 : poser une intention claire et précise

C'est la base ! Si votre intention est vague ou bancale, qu'elle n'évoque rien pour vous, l'envie de réaliser le rituel va peu à peu s'estomper. Logique ! Il y a plusieurs éléments à prendre en compte lorsque vous posez vos intentions. Par exemple : « Mon intention pour mon rituel matinal est de démarrer la journée de manière positive et confiante, mais aussi de prendre enfin du temps pour mon bien-être. »

Je passe à l'écrit !

Tout d'abord, écrivez vos intentions pour les rendre les plus tangibles possible, mais aussi pour qu'elles soient plus claires dans votre esprit et stables dans la durée. Une intention exprimée seulement mentalement est volatile et changeante, on ne s'en souvient plus, on la modifie au gré de notre bonne ou mauvaise humeur ! Une intention écrite représente déjà un certain engagement.

Let's go!

Allez, hop, un carnet, un stylo et c'est parti ! Prenez une page blanche et inscrivez votre intention, c'est-à-dire ce que vous souhaitez que le rituel en question produise en vous. Mode #inside enclenché ! Attention, écrivez au présent pour invoquer la loi de l'attraction et de manière affirmative (pas de négation). Soyez claire et positive !

3 questions à se poser pour entrer en mode #inside

- *De quoi ai-je besoin en ce moment ?*

  ....

- *Qu'est-ce qui me ferait du bien ?*

  ....

- *Comment pourrais-je me reconnecter à moi-même ?* ....

J'essaie d'être claire

La deuxième chose à prendre en considération, c'est la clarté de l'intention. Plus vous serez précise et plus votre intention aura du poids. Une intention vague ne pousse pas à la réalisation du rituel. Pour cela, vous pouvez utiliser la théorie du 1 % ! Cette loi stipule qu'une amélioration répétée de 1 % entraîne des améliorations considérables sur le long terme. Votre intention peut donc concerner une toute petite part de l'amélioration que vous visez au final, cela produira tout de même beaucoup d'effets et ce sera beaucoup plus facile à appliquer au quotidien. Easy !

La théorie du 1 %, comment ça marche ?

Si votre intention est d'avoir une vie plus saine, cette dernière est bien trop générale et ne vous poussera pas à l'action (tout comme les bonnes résolutions que nous prenons au Jour de l'an et qui tiennent 2 semaines !). Gardez votre intention générale en tête et proposez-vous de petits objectifs (1 %) plus précis qui, additionnés, vont vous permettre d'atteindre un objectif plus global : prendre le temps de manger en conscience (le rituel) pour mieux digérer (l'intention), réaliser des étirements tous les matins (le rituel) pour gagner en souplesse et diminuer les maux de dos (l'intention), réaliser une routine matinale (le rituel) pour démarrer ma journée du bon pied (l'intention).

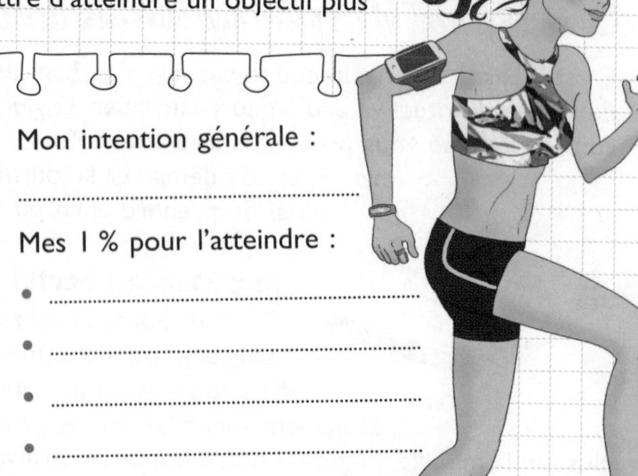

Mon intention générale :

....

Mes 1 % pour l'atteindre :

- ....
- ....
- ....
- ....

Commandement n° 2 : remplacer ses croyances limitantes par des croyances aidantes

Je déniche mes croyances limitantes

Les croyances limitantes, quésaco ? Ce sont des pensées à propos de soi ou de la vie qui représentent des barrières que l'on se fixe soi-même. Par exemple : « Je ne suis pas bonne en dessin », « Je ne suis pas assez souple pour faire du yoga », « Je n'arriverai jamais à me lever plus tôt pour faire des étirements », « Je ne suis pas capable d'apprendre à faire des rituels plusieurs fois par semaine »... En pensant ou en prononçant ces phrases, nous nous convainquons de leur réalité et nous nous mettons des bâtons dans les roues. Quelle idée !

Je crée des croyances aidantes

Afin de réaliser le rituel qui vous convient le mieux, vous devez absolument débusquer ces croyances limitantes et les remplacer par des croyances aidantes inverses : « Je suis bonne en dessin », « Je suis assez souple pour faire du yoga », « Je suis parfaitement capable de me lever plus tôt pour faire des étirements »... Grâce à ces croyances aidantes, vous allez solliciter la loi de l'attraction (eh oui, encore elle !). N'oubliez pas : vous attirez ce que vous pensez de vous-même !

Et si vous transformiez vos croyances limitantes en croyances aidantes ?

Complétez les phrases suivantes en rapport avec l'intention que vous voulez donner à votre rituel, puis écrivez leur contraire :

- Ma croyance limitante : *Je ne me sens pas capable de*..
  - → Ma croyance aidante : *Je suis parfaitement capable de*..
- Ma croyance limitante : *Je pense ne jamais arriver à* ....
  - → Ma croyance aidante : *Je vais réussir à*..
- Ma croyance limitante : *Je ne suis pas douée pour* ....
  - → Ma croyance aidante : *Je suis douée pour*..

Commandement n° 3 : créer un contexte favorable

Pour réussir à tenir sur la durée, vous devez vous créer une bulle, un espace cocooning où réaliser vos rituels. Réfléchissez donc dès maintenant aux différents lieux où vous ne serez pas dérangée, des lieux qui vous inspirent, qui vous donnent de l'énergie, qui vous parlent. Mettez-vous à l'aise !

Pourquoi ne pas créer un autel pour vos rituels ? Petite statuette, bougie, photo de personnes que vous aimez, tissus, odeur spéciale… Imaginez un spot cocooning qui vous ressemble !

Je me mets en mode rituel !

Commandement n° 4 : dégager du temps pour ses rituels

Trouver du temps n'est pas toujours évident, la journée ne fait que 24 heures et vous avez l'impression de courir en permanence ! Et pourtant, il suffit quelquefois de s'organiser un peu pour se rendre compte que l'on perd finalement beaucoup de temps dans sa journée. Partez donc à la chasse aux grignoteurs de temps : les mauvaises habitudes ! Si si, il faut en passer par là ! Vous avez généralement parfaitement conscience de vos mauvaises habitudes, mais il n'est pas facile de s'en défaire…

Les habitudes mangeuses de temps les plus classiques

- les réseaux sociaux (téléchargez une application comme BreakFree qui comptabilise le temps que vous passez dessus, vous serez étonnée !)
- la procrastination (c'est une réelle mauvaise habitude de vie, malheureusement !)
- les séries ou la télévision
- le manque d'organisation
- les obsessions (vous pensiez que passer l'aspirateur tous les jours ne vous faisait pas perdre tant de temps que ça ?)

Si vous avez vraiment besoin de faire des pauses réseaux sociaux pour souffler après votre journée de boulot, utilisez un timer pour éviter de transformer 5 minutes de pause en 30 minutes perdues.

La méthode des 5 pourquoi

Pour vous aider, il existe la méthode des 5 pourquoi. Si, par exemple, vous passez beaucoup de temps sur les réseaux sociaux et que vous avez conscience que cela vous enlève de précieux moments de votre journée, testez les 5 pourquoi.

Je passe trop de temps sur les réseaux sociaux

→ **Pourquoi?** Je suis curieuse de savoir ce que les autres font de leur vie.
→ **Pourquoi?** Parce que je compare avec ma propre vie.
→ **Pourquoi?** Parce que j'ai l'impression de ne pas avoir une vie satisfaisante.
→ **Pourquoi?** Parce que je ne réalise pas mes rêves.
→ **Pourquoi?** Parce que j'ai l'impression de ne pas avoir le temps et l'énergie.

Une fois que vous êtes arrivée à la dernière réponse, vous avez une piste à creuser pour vous donner envie d'arrêter votre mauvaise habitude et de la remplacer par un rituel positif!

Ne pas déranger!

C'est essentiel : passez un deal avec votre famille pour que ces moments de rituels soient les vôtres. Vous voulez mettre toutes les chances de votre côté? Prévoyez une plage horaire fixe pour vos rituels et n'y dérogez sous aucun prétexte (du moins au début)!

Commandement n° 5 : identifier le gain, la récompense

Pour tenir sur la longueur, il faut que votre intention soit bien posée mais aussi que vous soyez capable d'identifier des gains tangibles, qui vont renforcer votre motivation. Si vous exécutez une routine matinale (intention : pour me sentir bien dans mon corps) constituée de petites activités sportives, vous pouvez vous dire que vous allez gagner en fermeté, en muscles, que vous allez avoir un corps de rêve, que votre chéri va vous trouver encore plus sexy (le top!).

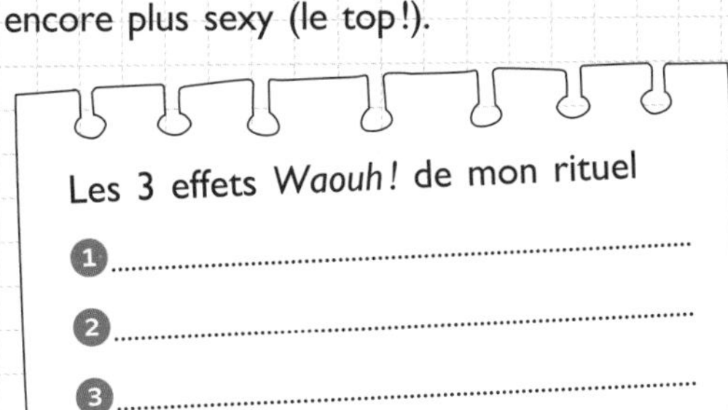

Commandement n°6 : transformer ses rituels en habitudes de vie

Il est courant de dire qu'une action répétée pendant 21 jours se transforme en habitude et devient donc automatique, ce qui mobilise moins la volonté. Moins d'effort, plus de plaisir ! Cette théorie des 21 jours est remise en question par certains, qui évoquent plutôt une moyenne de 66 jours. Ces durées ne doivent cependant pas compter dans votre engagement. Si vous réalisez un rituel pour votre bien-être, votre objectif doit être de le tenir le plus longtemps possible, jusqu'à ce qu'un autre rituel, avec une intention différente, vienne le remplacer. Il s'agit là de créer un véritable lifestyle avec des bénéfices sur le long terme !

Comment conserver mes rituels ?

Commandement n°7 : utiliser un traqueur d'habitudes

Quelquefois on a envie de…, on aimerait bien faire… Mais le temps passe, on ne s'en rend pas compte et on n'a encore rien mis en place ! Grosse erreur ! La solution pour prendre conscience de ce temps qui passe et de la procrastination dont nous pouvons parfois faire preuve ? Utiliser un traqueur d'habitudes !

Un habits tracker, qu'est-ce que c'est ?

Il s'agit d'un tableau dans lequel vous allez noter, en ordonnée, tous les rituels ou routines que vous souhaitez mettre en place et, en abscisse, les jours du mois. Chaque soir, vous cochez les rituels réalisés dans la journée et, au bout d'une semaine, vous faites le point pour voir si vous avez respecté vos engagements. Si vous avez procrastiné, ce traqueur le montrera sans pitié, et cela vous donnera l'énergie pour vous améliorer la semaine suivante.

Zéro culpabilité !
Vous avez réalisé ce traqueur et vous vous rendez compte que la procrastination est courante chez vous ? Inutile de vous sentir coupable, ce sentiment bloque l'énergie et n'apporte jamais rien de bon. Ouvrir les yeux est déjà un grand pas. Lancez-vous le défi de respecter au moins un rituel la semaine prochaine ! Promettez-vous une petite récompense pour vous encourager (l'éclair au chocolat est permis ;) !

Commandement n° 8 : identifier les obstacles prévisibles pour mieux les éviter

Vous allez être confrontée à des obstacles, c'est certain! La vie est parfois lisse, parfois fluide et parfois semée d'embûches qui sont autant d'excuses pour ne pas remplir ses engagements. Il faut s'y faire mais cela n'empêche pas de tenir bon. Vous êtes la seule à pouvoir changer votre vie!

Une des solutions est de lister les futurs obstacles que vous pourriez rencontrer sur votre route. Des heures sup' au travail, un gros rhume, un changement d'emploi du temps, votre chéri qui vous dérange systématiquement, des travaux dans votre appartement… Notez tous ces pièges et, en face, les solutions possibles. De quoi vous sentir moins démunie et de trouver la force de continuer sur la voie du bien-être et du développement personnel.

Mon plan anti-problèmes

Le rituel que je souhaite mettre en place ....

Obstacle potentiel n° 1 : ....

→ Solution :..............................

Obstacle potentiel n° 2 : ....

→ Solution :..............................

Obstacles potentiels n° 3 : ....

→ Solution :..............................

Notez toutes vos réflexions ou hésitations dans un carnet, votre Bullet journal® ou votre journal intime. L'écriture est thérapeutique : vous engagez un vrai travail de développement personnel!

Commandement n° 9 : contrer le « what the hell effect »

Cet effet décrit par les Américains consiste à se laisser totalement aller lorsque l'on déroge une première fois à une règle que l'on s'était fixée. Ça vous dit quelque chose? Moi oui! La culpabilité prend le dessus et on se dit : «À quoi bon finalement?» Vous savez maintenant qu'il y aura des perturbations dans votre routine et c'est normal, la vie n'est pas lisse, elle est faite de cycles, de hauts et de bas. Vous savez aussi à présent que ce n'est pas parce que vous dérogez à votre rituel une fois qu'il faut céder au «*what the hell effect*» en laissant tout tomber! Résistez à l'idée de transformer une petite erreur en grande erreur sous la pression de la culpabilité.

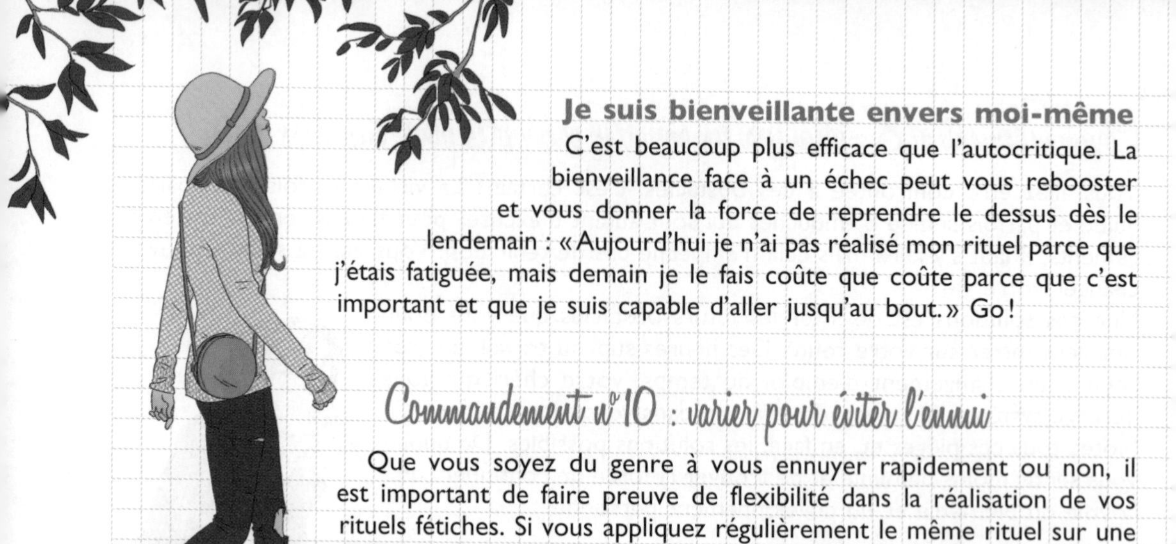

Je suis bienveillante envers moi-même
C'est beaucoup plus efficace que l'autocritique. La bienveillance face à un échec peut vous rebooster et vous donner la force de reprendre le dessus dès le lendemain : « Aujourd'hui je n'ai pas réalisé mon rituel parce que j'étais fatiguée, mais demain je le fais coûte que coûte parce que c'est important et que je suis capable d'aller jusqu'au bout. » Go !

Commandement n° 10 : varier pour éviter l'ennui

Que vous soyez du genre à vous ennuyer rapidement ou non, il est important de faire preuve de flexibilité dans la réalisation de vos rituels fétiches. Si vous appliquez régulièrement le même rituel sur une période de plusieurs mois, la lassitude risque de vous donner envie de sauter quelques séances, puis… d'arrêter complètement. Vous risquez aussi d'y prendre moins de plaisir et de ne plus l'exécuter en conscience. Ce serait dommage ! Pour éviter cet écueil, pourquoi ne pas introduire quelques variantes dans vos rituels quotidiens tout en gardant la même intention ?

Les règles à observer : conserver une plage horaire fixe et garder la même intention. La mise en pratique peut varier autant qu'on le souhaite (mais attention à ne pas trop augmenter votre temps de rituel au risque de ne plus rentrer dans la plage horaire habituelle !). Par exemple, modifiez un peu votre rituel cocooning du dimanche (une marche en forêt pour se ressourcer, puis un nettoyage de peau au savon noir et un gommage au gant de crin, un bain moussant avec une bougie et un bon polar) : une marche en campagne, un soin corporel (baume hydratant), un bain moussant avec une bougie et une série.

Commandement n° 11 : rester focus

Lorsque vous commencez la pratique de vos rituels, votre motivation est à 200 % et vous êtes pleine d'énergie pour mettre en place plusieurs routines différentes ! Ce n'est cependant pas la meilleure solution pour tenir sur le long terme, car vous risquez de vous essouffler ! Les Américains appellent cela « *ego depletion* ». Notre volonté est comme un muscle qui se fatigue si on la sollicite trop. Et une fois que notre volonté est essoufflée, il est beaucoup plus difficile de résister aux tentations de la procrastination. Concentrez-vous donc sur une seule routine à la fois et éventuellement quelques rituels isolés, parsemés dans la semaine. Une fois cette routine devenue une vraie hygiène de vie indispensable à votre quotidien, vous pourrez en introduire une nouvelle. Step by step !

Chapitre 3

Mes rituels indispensables

Il y a les rituels optionnels, ceux que l'on choisit pour en faire un peu plus, pour aller un peu plus loin... Puis il y a les rituels indispensables, ceux qui peuvent modifier votre vie du tout au tout ! Vous savez, ces rituels qui vous donnent la pêche pour la journée, ceux qui vous font voir la vie en rose, ceux qui vous permettent de passer des nuits au top ! La routine matinale et la routine vespérale font partie de ces incontournables !

La puissance de la routine matinale

La routine matinale est un grand classique. Ses adeptes disent qu'elle est magique et qu'elle peut changer la vie. Il s'agit de rituels que vous exécutez du réveil jusqu'au moment où vous attaquez votre journée. Réveil physique et mental, préparation, petit déjeuner et même activités de bien-être, c'est un moment fort et complet de la journée. Une sorte de supplément de vie !

Le miracle du matin

Impossible de parler de la routine matinale sans évoquer la méthode Miracle Morning et son inventeur, Hal Elrod. C'est THE référence en termes de routine matinale ! Le message transmis par Hal est simple : changez votre vie en vous levant plus tôt ! Mais encore ? Il estime qu'il n'y a pas d'autres moments dans la journée où nous pouvons nous occuper de nous-même (de nos projets, de notre bien-être, de notre développement personnel). La journée, nous travaillons et le soir, nous sommes épuisés de notre journée, c'est vite vu !

Le principe?

Sa routine matinale, le Miracle Morning, est constituée de 6 rituels distincts, dont l'acronyme est SAVERS :

S pour Silence. La première étape est de prendre un moment pour soi, un moment de silence, de méditation, de respiration profonde pour éviter que le matin rime avec précipitation et stress. L'objectif est de démarrer la journée en douceur !

A pour Affirmations. L'idée est de faire appel à la loi de l'attraction en répétant des phrases positives. Ainsi, vous augmentez vos chances de voir arriver ce que vous souhaitez !

V pour Visualisation. Le principe est ici de visualiser mentalement la ou les choses que l'on souhaite absolument voir se produire. La visualisation leurre le cerveau en lui faisant croire que ces choses sont déjà existantes et favorise donc l'action vers ces mêmes choses ! Magique ? Presque !

E pour Exercice. Hal préconise d'avoir une activité physique tous les matins, petite ou grande, douce ou intense, peu importe. Cela vous permet de remettre en douceur votre corps en marche et de vous donner de l'énergie. C'est aussi une pause bien-être.

R comme lire (*Reading* en anglais). L'auteur ne conseille pas de lire n'importe quels livres, il préconise la lecture d'ouvrages de développement personnel. Cependant, vous pouvez lire ce que vous souhaitez : des romans pour vous divertir, des blogs inspirants…

S pour écrire (*Scribing* en anglais). Idées, réflexions, objectifs… il est important de les matérialiser par écrit ! L'écriture permet d'ancrer nos idées dans une réalité plus tangible, d'amorcer une réflexion plus profonde et d'engager un pas vers l'action, rien que ça !

Les 3 bénéfices de la routine matinale

Devenir proactive

La personne proactive prend sa vie en main, prend des initiatives au lieu de se laisser embarquer et contrôler par son environnement. En créant une routine matinale, vous reprenez le dessus sur les premières heures de votre matinée mais aussi sur vos projets (par l'écriture notamment), et ça fait un bien fou ! En plus, bien démarrer votre journée augmente vos chances de bien la continuer : en maîtrisant les premières heures du jour, vous avez envie (et besoin !) de tenir les rênes de tout le reste de votre journée, ça n'a pas de prix ! Devenir proactive booste la confiance en soi, augmente l'énergie nécessaire pour mener ses projets à bien et donne envie de déplacer des montagnes.

Entretenir son mental

Quelle que soit l'intention que vous allez poser sur cette routine, elle aura pour bénéfice secondaire d'entretenir votre motivation et votre volonté. Un vrai catalyseur de positive attitude (la dopamine de l'activité sportive n'y est pas pour rien!). Un mental plus fort, un corps au top de sa forme, une énergie débordante : un vrai bonus dans votre quotidien!

Devenir organisée et efficace

Quand votre routine comprend une partie d'écriture ou de planification, vos journées sont incroyablement efficaces! Vous gérez mieux votre planning, vos priorités et vos projets sur le moyen et le long terme. De quoi chambouler toute votre vie!

Le Miracle Morning est un bon exemple de routine matinale, et une excellente source d'inspiration. Vous pouvez vous en inspirer pour créer votre propre routine selon le temps disponible et vos envies.

Combien de temps j'ai à dispo?

En fonction de votre travail, du rythme de votre chéri ou de vos enfants, vous devez adapter votre routine. Attention cependant à ne pas faire passer tout le monde avant vous! Vous avez aussi le droit (le devoir!) de prendre du temps pour vous le matin! Attention aussi aux croyances limitantes du type : «Je ne pourrai jamais avancer le réveil de 30 minutes.» En vous répétant ce genre de phrase, il y a en effet de fortes chances que vous ne réussissiez pas à vous lever plus tôt! Nous sommes capables de beaucoup plus de choses que nous le croyons généralement, mais pour cela, il faut rester motivée, avoir des croyances aidantes (voir p. 15) et persévérer!

Il faut donc se lever plus tôt?

Oui! 15, 45, 90 minutes... cela dépend de vos possibilités, de la durée de votre routine et de votre fatigue du moment. Écoutez-vous et respectez-vous!

De quoi j'ai besoin?

Si vous comptez copier la routine matinale de votre BFF, vous risquez fort de laisser tomber au bout de quelques jours! Et c'est bien normal! Vous devez absolument vous demander ce que vous attendez de cette routine, et donc quelle intention vous souhaitez donner à vos rituels. Vous voulez gagner en énergie? Il va falloir une petite dose de sport pour booster votre corps. Vous souhaitez gagner en sérénité? Prévoyez un temps de silence ou de méditation.

Je reste flexible !

Il faut savoir faire preuve de détermination et de persévérance pour maintenir sa routine matinale au quotidien, cependant la flexibilité doit aussi être de rigueur. Ne soyez pas trop exigeante envers vous-même au risque de tout laisser tomber rapidement ! Permettez-vous de sauter un rituel de temps en temps (mais pas trop, et surtout pas au début), de le raccourcir parfois ou de ne pas faire votre routine le week-end, par exemple. Le mieux est l'ennemi du bien !

Ma morning routine détente et ancrage

Cette intention est pour vous si votre cerveau est hyperactif, si vous ne savez pas vous reposer, si vos pensées vous envahissent même pendant votre série préférée ou pendant la nuit. Se détendre peut être un vrai apprentissage pour certaines (#vismavied'hyperactive), et pourtant c'est indispensable pour tenir sur la durée et rester productive. L'ancrage a pour objectif de vous ramener sur terre, dans le présent, plutôt que de vous laisser entraîner par le flot incessant de vos pensées. En plus, être ancrée rend plus forte et plus confiante. Prête à vous lancer dans cette aventure ?

Durée : 25 à 45 min environ
Cette routine est composée de rituels mêlant activités physiques, méthodes énergétiques et cocooning spécifiquement sélectionnés pour favoriser la détente et l'ancrage.

Je bois un verre d'eau tiède citronnée (5 min)

Détoxifiant, antioxydant, antiseptique naturel, boosteur des défenses immunitaires… Le citron est un concentré de bienfaits ! L'eau tiède, elle, relance en douceur votre système digestif pour le préparer au petit déjeuner. Votre corps ayant été privé d'eau pendant 7 ou 8 heures, vous allez percevoir clairement le passage du liquide tiède dans votre bouche, votre gorge, puis votre œsophage. Cette perception sensorielle vous ancre dans le moment présent et la descente du liquide vous enracine symboliquement dans la terre. Bien-être assuré ! Préférez le citron frais et bio.

Vous avez du mal à démarrer ? Ajoutez une pointe de sirop d'agave ou du miel pour adoucir vos premiers essais ! Attention, le citron est contre-indiqué en cas d'inflammation des voies digestives. Consultez un naturopathe pour savoir si le verre d'eau citronnée est bien en adéquation avec votre constitution.

Je m'étire (5-15 min)

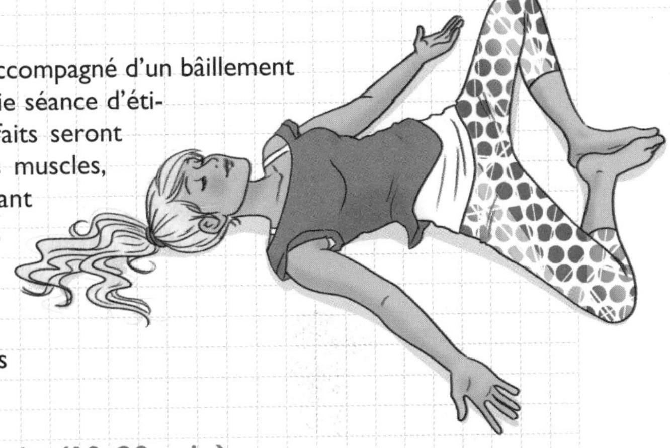

Qu'il s'agisse d'un étirement généralisé accompagné d'un bâillement (appelé la « pandiculation ») ou d'une vraie séance d'étirements (type yoga du matin), les bienfaits seront les mêmes : souplesse et flexibilité des muscles, nettoyage des déchets produits pendant la nuit, préparation à la mise en action, amélioration de la perception de notre corps. Que du bonus !
S'étirer nous ramène à notre corps, à nos sensations corporelles, et ainsi nous ancre dans une réalité physique.

Je pratique un automassage do in (10-20 min)

Le do in est un automassage japonais, dérivé du shiatsu. Il permet détente (assouplit les muscles) et ancrage (baisse le stress et l'anxiété, harmonise les énergies dans le corps et favorise leur bonne circulation) et, en bonus, il augmente les défenses immunitaires et améliore la qualité du sommeil ! Le principe est simple : par des points de pression (moins précis qu'en acupuncture mais sur le même principe), vous veillez à l'équilibre énergétique du corps. En fonction de vos besoins, différents points d'énergie peuvent être sollicités.
Dans ce rituel, on travaille encore une fois son ancrage en passant par des perceptions corporelles. Les massages, pétrissages et tapotements limitent nos ruminations mentales et nous concentrent sur le moment présent. Ce rituel do in express permet aussi de rééquilibrer les énergies de notre corps pour nous maintenir en bonne santé (mais, attention, son efficacité dépend de votre régularité !). Just do it !

Ma routine do in

- **Mains :** frottez vos deux mains ensemble jusqu'à ressentir de la chaleur, puis étirez vos doigts de la main droite en vous aidant de la paume de votre main gauche. Puis changez de main. Enfin, massez consciencieusement une main après l'autre.
- **Visage :** avec le bout de vos doigts, pratiquez un étirement des muscles du front de l'intérieur vers l'extérieur, puis massez les ailes du nez en partant du haut du nez jusqu'aux narines, puis sous les pommettes. Fermez les yeux en pressant fort les paupières, puis ouvrez-les en expirant. Ensuite, placez la pulpe de vos doigts sur vos paupières et massez avec légèreté. Massez ensuite le pourtour de la bouche en exerçant de petits mouvements circulaires statiques, d'abord en haut, puis en bas. Terminez en massant consciencieusement toutes les parties de vos oreilles (extérieur et intérieur).
- **Crâne :** massez tout votre cuir chevelu avec la pulpe de vos doigts, puis tapotez en douceur votre crâne avec les poings fermés mais souples. Pour finir, attrapez délicatement des mèches de cheveux et tirez-les. Appliquez ce geste sur tout le crâne.

- **Nuque et épaules :** posez votre main droite sur votre nuque et massez horizontalement (par étirement) en partant vers la droite, puis réitérez avec la main gauche en partant vers la gauche. Massez ensuite la zone située entre votre cou et vos épaules.
- **Bras :** fermez votre poing droit, mais gardez-le souple, puis tapotez doucement sur toute la surface de votre bras gauche, depuis l'épaule jusqu'à la main. Puis inversez.

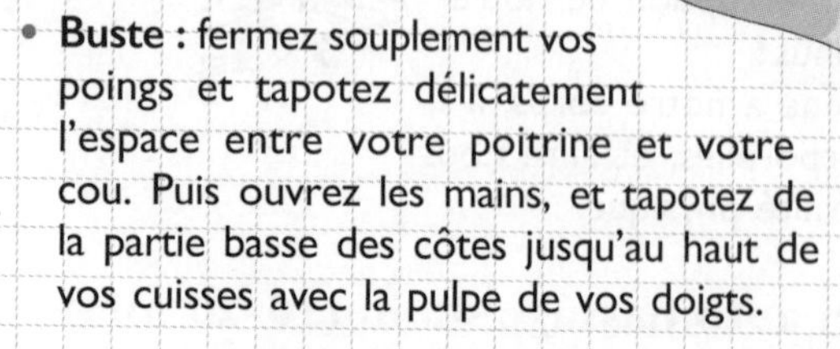

- **Buste :** fermez souplement vos poings et tapotez délicatement l'espace entre votre poitrine et votre cou. Puis ouvrez les mains, et tapotez de la partie basse des côtes jusqu'au haut de vos cuisses avec la pulpe de vos doigts.

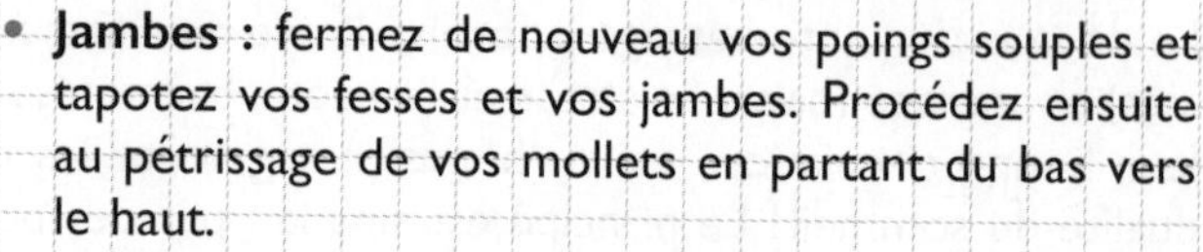

- **Jambes :** fermez de nouveau vos poings souples et tapotez vos fesses et vos jambes. Procédez ensuite au pétrissage de vos mollets en partant du bas vers le haut.
- **Pieds :** pétrissez consciencieusement vos pieds et finissez en martelant la plante de vos pieds avec votre poing.

Je médite en douceur (10 min)

Votre corps s'est détendu et vous avez amorcé un ancrage de votre esprit grâce aux rituels précédents. Allez plus loin en méditant quelques minutes. La méditation ne suppose pas de mettre son cerveau sur pause, c'est tout bonnement impossible ! Il s'agit de prendre de la hauteur et de réussir à s'observer penser. D'accueillir ensuite ses pensées et de les laisser passer, sans jugement. C'est la pratique par excellence pour vous ramener les pieds sur terre et prendre du recul sur votre vie. Elle garantit la détente en profondeur et sur le long terme. La règle pour que ça fonctionne ? La régularité !

Mon rituel méditation express : le body scan

C'est un outil utilisé en méditation de pleine conscience. Il consiste à observer chacune des parties de son corps pour libérer son esprit des pensées volatiles qui l'envahissent.

1. Installez-vous confortablement sur une chaise ou au sol. Votre dos doit être bien droit mais pas tendu. Fermez les yeux et prenez plusieurs respirations profondes.

2. Concentrez-vous sur vos sensations physiques lorsque l'air entre par votre nez, traverse votre gorge et descend dans vos poumons. De même, soyez attentive à l'air chaud qui sort de vos poumons, remonte dans votre gorge et sort par vos narines.
3. Maintenant, focalisez votre attention sur le haut de votre crâne. Ressentez-vous du chaud ? du froid ? des picotements ? des douleurs ? des sensations indéterminées ? Observez simplement, sans émettre de jugement. Puis descendez au niveau de votre visage et réalisez un scan des différentes parties qui le composent. Veillez à détendre les parties tendues (souvent la mâchoire ou le menton) lorsque vous expirez.
4. Partez maintenant à l'arrière de votre crâne, puis vers votre nuque. Si vous percevez des tensions, notez-les, tout simplement, et si vous y parvenez, faites entrer mentalement l'air dans la zone de tension et faites-le ressortir pour aider à la détente. Descendez ensuite au niveau des épaules qui concentrent régulièrement des tensions. Restez-y plus longtemps si vous en ressentez le besoin.
5. Continuez le body scan au niveau du dos : le haut, le milieu, puis le bas du dos. N'oubliez pas de revenir au niveau de la poitrine, de l'abdomen et de la zone pelvienne. Continuez le scan sur les fesses, les jambes et enfin les pieds.
6. Une fois votre body scan terminé, prenez mentalement de la hauteur pour observer la totalité de votre corps et faire briller une lumière tout autour. Faites encore quelques respirations profondes puis, lorsque vous êtes prête, bougez les doigts et les orteils et ouvrez les yeux. Bravo ! Vous venez de réaliser une séance de méditation !

Je prends le soleil (5 min)

Si le temps et la saison s'y prêtent, terminez votre routine de détente et d'ancrage en passant quelques minutes au soleil. Fermez les yeux, laissez les rayons réchauffer votre peau. Notre corps a besoin du soleil pour sécréter la vitamine D, une vitamine indispensable pour nos os mais aussi pour nos muscles et notre cœur. Le soleil a le pouvoir naturel de détendre les tensions et la sensation de chaleur nous ramène à une perception physique qui nous ancre dans le moment présent.

Vous habitez dans une région où la quantité de soleil est limitée une bonne partie de l'année ? Pourquoi ne pas tester la luminothérapie ? Elle ne vous permettra pas de synthétiser de la vitamine D, mais a de véritables effets de régulation de l'horloge interne, elle lutte contre l'insomnie et vous aide à combattre les baisses de moral en hiver ! Faites une séance de luminothérapie 30 minutes par jour. Ses effets sont visibles dès 15 jours.

Je brumise de l'eau florale sur mon visage

C'est le petit rituel tout simple à l'effet dingue! Brumisez un peu d'eau florale de rose (hydratante et régénérante), de géranium (purifiante et calmante) ou de fleur d'oranger (adoucissante et apaisante) sur votre visage. Les sensations des fines gouttes de la brume, sa fraîcheur et sa délicieuse odeur sont tellement agréables qu'elles vous calment instantanément et vous ancrent dans votre corps. Magique!

Ma morning routine énergie

La routine énergisante est parfaite si vous êtes dans une période de mou, si la procrastination est devenue votre meilleure amie ou si vous avez besoin d'un coup de fouet pour vous lancer dans de nouveaux projets. Son objectif : vous booster physiquement et mentalement!

Si ce timing est intenable pour vous en semaine, peut-être pouvez-vous la réaliser le week-end, sur des matinées où vous commencez plus tard ou sur vos jours off!

Durée : environ 90 min (ou moins si vous optez pour la version abrégée en sélectionnant certains rituels!).
Cette routine est composée de rituels mind booster, sport, nutrition et productivité, pour être énergique et ultra efficace!

Mon conseil : levez-vous dès que le réveil sonne, n'attendez pas plus de 5 secondes, c'est le temps que met votre cerveau pour réagir et vous supplier de repousser le réveil pour quelques minutes encore…

J'arrête de snoozer

Snoozer consiste à repousser son réveil plusieurs fois après la première sonnerie. Si vous arrêtez ce geste nocif, vous allez gagner en énergie et en productivité. En effet, en respectant un engagement que vous avez pris la veille (à savoir vous lever), vous renforcez les circuits neuronaux de la volonté et vous êtes plus encline à continuer à respecter vos (petits et grands) engagements du reste de la journée! C'est aussi simple que ça et pourtant c'est infaillible! Alors, dès demain matin, prenez la bonne résolution de vous lever à l'heure prévue. Soyez ferme!

Je fais du yoga (20-30 min)

En fonction de vos intentions, le type que yoga que vous allez pratiquer va varier. Certaines techniques sont plus reposantes, d'autres plus énergisantes.

Voici 9 postures de yoga à pratiquer tous les matins pour avoir énergie et tonus le reste de la journée. Vous allez échauffer vos muscles, ouvrir votre cage thoracique pour acquérir de la force et respirer profondément pour oxygéner votre cerveau et booster les énergies de votre corps.

La montagne

Installez-vous debout, les pieds écartés de la largeur de vos hanches. Balancez-vous très légèrement de droite à gauche et d'avant en arrière jusqu'à trouver votre point d'équilibre. Le dos est bien droit, la nuque dans le prolongement de la colonne vertébrale et le menton légèrement rentré vers votre poitrine. Vos bras sont près de votre corps, tendus, et les paumes de mains tournées devant vous. Tenez la posture au moins 30 s en pensant à respirer sur un rythme naturel.

La cigogne

Levez les bras au ciel sur une inspiration, puis, à l'expiration, descendez-les jusqu'à vos pieds, dos droit. Les bras restent au maximum près des oreilles et l'abdomen collé aux cuisses, quitte à plier les genoux (afin de protéger les lombaires). Puis reprenez une inspiration et, à l'expiration, posez vos mains sur vos chevilles et essayez de rapprocher votre tête de vos genoux, l'abdomen toujours en contact avec les cuisses. Tenez 5 respirations, puis replacez-vous debout.

La fente haute

Fléchissez les genoux, posez vos mains sur le sol et étirez votre jambe droite en arrière. Votre jambe gauche est pliée à 90 degrés et est alignée avec vos bras. Maintenez la posture sur 5 respirations.

Le guerrier 1

Posez le pied arrière et ancrez-le au sol. Relevez le buste et tendez les bras au-dessus de votre tête en étirant votre buste au maximum et en gardant les épaules basses et le bassin de face. Tenez cette position sur 5 respirations, puis refaites l'enchaînement des deux postures (fente haute + guerrier 1) de l'autre côté.

La chaise

Redressez-vous, les pieds joints, puis fléchissez les genoux jusqu'à ce que vos cuisses soient presque parallèles au sol. Puis montez vos bras, les paumes de mains droites et tournées vers l'intérieur. Vos bras doivent être dans le prolongement de votre dos. Rentrez les abdominaux pendant tout le mouvement. Tenez la pose sur quelques respirations.

Le guerrier 2

Debout, étirez la jambe droite en arrière de sorte que votre genou droit fasse un angle de 90 degrés (votre genou est au-dessus de votre pied). Effectuez une rotation de vos hanches vers la jambe droite, puis levez vos bras à l'horizontale. Les paumes de mains sont tendues et alignées avec vos bras. Maintenez vos épaules basses. Tenez la position sur 5 respirations, puis inversez.

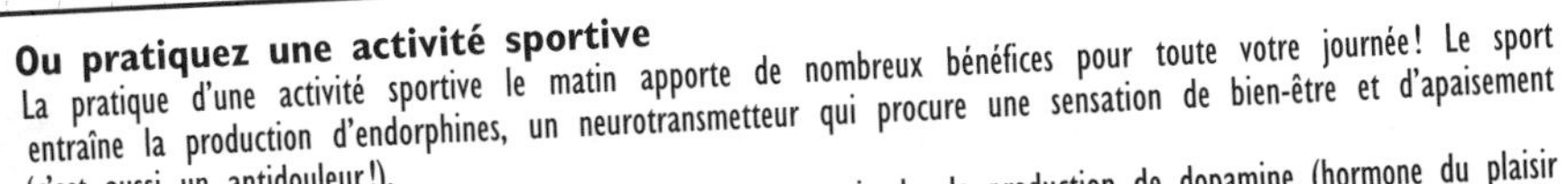

Ou pratiquez une activité sportive

La pratique d'une activité sportive le matin apporte de nombreux bénéfices pour toute votre journée ! Le sport entraîne la production d'endorphines, un neurotransmetteur qui procure une sensation de bien-être et d'apaisement (c'est aussi un antidouleur !).

Mais ce n'est pas tout ! En faisant une session de sport, vous stimulez la production de dopamine (hormone du plaisir et de la vigilance, et qui dit vigilance dit « wake up » et énergie !), d'adrénaline et de noradrénaline (hormones qui entraînent le déstockage des graisses). Attaquer votre journée par une session sportive vous donnera la pêche et l'énergie pour affronter votre journée avec sérénité. Pour de réels effets, une séance de 30 minutes minimum est recommandée, mais il est avant tout important d'écouter son corps et ses besoins.

Attention à commencer par une bonne séance d'échauffements pour réveiller vos muscles en douceur et veillez à ne pas stimuler le cœur trop rapidement au saut du lit. Soyez douce et attentive à votre corps !

La flexion avant jambes écart en torsion

Basculez votre main gauche vers vos orteils (votre buste pivote également) et levez votre bras droit vers le ciel (les bras restent alignés). Votre tête est tournée vers la main droite. Tenez la position sur quelques respirations, puis inversez.

Le chien tête en haut

Placez-vous en planche. Pliez vos coudes à 90 degrés, puis ramenez vos pieds et tendez les bras. Vos épaules sont basses, vos cuisses ne touchent pas le sol et votre poitrine est tendue vers l'avant. Tenez la position sur 5 respirations, puis enchaînez avec la position du chien tête en bas.

Le chien tête en bas

Placez vos mains et vos pieds au sol, votre corps formant un angle droit. Étirez votre dos au maximum, mais ne forcez pas sur les talons si vous ne touchez pas le sol. Tenez la posture pendant 5 respirations.

Puis terminez en reproduisant la posture de la **cigogne** puis la **montagne**.

Je prends un petit déjeuner énergétique

Le turbo indispensable pour une matinée au top ! Mais c'est quoi, un petit déjeuner énergétique ? Contrairement à ce que l'on pourrait penser, l'éternel pain-beurre-confiture-jus d'orange n'est pas des plus adaptés pour une matinée énergique. Le matin est le moment idéal pour consommer des aliments protéinés et riches en matière grasse. Pourquoi ? Tout simplement parce que les lipides healthy (oléagineux, matières grasses riches en oméga-3) diffusent l'énergie tout au long de la journée, et le matin, la digestion des protéines est maximale. La bonne idée ? Un petit déjeuner à base d'œuf, quelques légumes, un thé vert et un fruit. Ce n'est pas suffisant ? Ajoutez une tartine de pain complet avec du beurre riche en oméga-3 !

Le salé ne vous fait pas envie le matin ? Tentez la formule suivante : 1 thé vert, 1 smoothie avec 2 fruits et des flocons d'avoine puis quelques noix !

Je m'occupe d'une tâche sur laquelle je procrastine (5 min)

Trier le courrier, réparer le volet de la cuisine... Pour renforcer votre intention de productivité et d'énergie, luttez contre la tendance naturelle à la procrastination en effectuant tous les jours une petite tâche de 5 minutes que vous avez l'habitude de repousser.

L'intérêt ? Montrer à votre inconscient que vous êtes prête à tout pour engager un nouveau départ, même à faire ce qui vous fatigue le plus. Résultat : en quelques semaines, vous serez à jour dans le courrier, le tri de votre vieille vaisselle ou encore dans le rangement de votre placard à chaussures ! De quoi vous donner un sentiment de fierté et de l'énergie pour aller encore plus loin.

Quand vous serez à jour, profitez de cette petite plage horaire pour établir votre planning quotidien afin d'être hyper organisée et hyper productive !

Ma morning routine positive attitude

Vous êtes dans une dynamique de développement personnel et vous avez envie d'explorer de nouvelles pistes ? Vous traversez une période plutôt sombre et vous avez besoin de relancer votre positive attitude ? Vous voulez simplement voir la vie en rose tous les matins pour que tous les jours soient de merveilleuses journées ? Cette routine devrait vous plaire ! Elle est composée de rituels qui ont pour objectif de rendre votre esprit réceptif

Durée : 35 min à 1 h
Cette routine est composée de rituels feel good et de méthodes de développement personnel pour insuffler le positif dans votre vie !

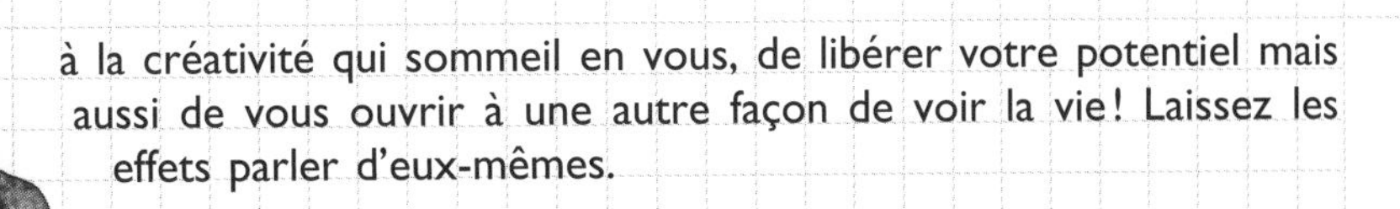

à la créativité qui sommeil en vous, de libérer votre potentiel mais aussi de vous ouvrir à une autre façon de voir la vie! Laissez les effets parler d'eux-mêmes.

Je médite (5-20 min)

Pour laisser parler sa créativité, il faut d'abord avoir de l'espace mental disponible, ce qui n'est pas toujours le cas. Nous produisons sans cesse un flot de pensées qui, en fonction de leur quantité et du stress qui leur est associé, nous embrume le cerveau. Une séance de méditation quotidienne devrait vous aider à clarifier vos idées et à développer une pensée plus lumineuse!

Mon rituel méditation positive attitude!

Installez-vous confortablement et démarrez votre méditation en effectuant 4 ou 5 respirations lentes et profondes. Puis reprenez un rythme naturel et visualisez une boule lumineuse (choisissez la couleur qui vous inspire) au niveau de votre poitrine. À chaque inspiration, cette boule lumineuse va grossir légèrement. Prenez votre temps. Vous pouvez faire grossir la boule jusqu'à ce qu'elle illumine tout votre corps, mais vous pouvez aussi aller plus loin si vous le souhaitez : illumination de votre couple, de toute votre famille, de vos amis...

> Vous appréhendez de pratiquer la méditation seule? Trouvez un groupe de méditation dans votre ville ou, plus simplement, appuyez-vous sur des applications de méditation guidée (Petit Bambou, Mindful Attitude, Les Guerriers pacifiques, Prana Breath, Calm...).

Je cherche l'inspiration (15-30 min)

Quoi de mieux pour éveiller la créativité et générer de bonnes ondes que de s'inspirer des personnes dont le parcours résonne en nous? Vous avez l'embarras du choix : livres de développement personnel ou biographies inspirantes, TEDx à visionner sur le site www.tedx.com, blogs, documentaires... Et pourquoi pas aller faire un tour sur Pinterest ou Instagram et observer les tendances actuelles afin d'avancer sur un projet ou en lancer un?

Mon rituel inspiration

Pour vous aiguiller dans ce rituel inspiration, répondez aux questions suivantes :

- *Actuellement ai-je plutôt besoin de nourrir :*
  - ❑ *ma créativité (A)*
  - ❑ *ma positive attitude (B)*
  - ❑ *les deux*

- **A.** *Quels sont les mots-clés qui me viennent à l'esprit quand on dit « créativité » (DIY, cosmétiques maison, création en papier, couture, tricot, décoration, idée business…) ?*

  ....

  ....

- **B.** *Quels mots-clés m'inspirent le plus concernant la positive attitude ?*
  - ❑ psychologie positive
  - ❑ gratitude
  - ❑ bienveillance
  - ❑ confiance en soi
  - ❑ lâcher-prise
  - ❑ pensée positive

- *A et B. Quels sont les supports qui me parlent le plus (par ordre d'importance) ? :* blogs / vidéos / livres / newsletters / journaux / documentaires / réseaux sociaux (Pinterest/ Instagram)

  ....

  ....

  ....

→ Maintenant que vous avez fait le point, prenez le thème qui vous convient le plus actuellement (créativité ou positive attitude), sélectionnez un mot-clé en lien avec le thème et votre support le plus inspirant et tapez-les dans votre moteur de recherche. Par exemple, « blog » (support) et « cosmétiques maison » (mot-clé) et laissez-vous guider par les propositions. Attention, n'oubliez pas de surveiller le temps (ou de mettre un réveil), Internet peut se révéler très chronophage !

Je fais une séance d'écriture (15 min)

Écrire… pour quoi faire ? Selon Julia Cameron, auteure du célèbre *Libérez votre créativité* (J'ai lu, 2007), pratiquer l'écriture libre tous les jours permet de solliciter sa créativité et son imagination. Et pour celles qui cherchent à positiver, c'est un bon moyen d'atteindre l'état de flow, cet état de bien-être qu'on connaît quand on pratique une activité qui nous absorbe complètement et qui nous plaît.

Comment faire ?

Julia Cameron conseille de réaliser un rituel matinal qui pourrait bien changer votre vie : les pages du matin. Trois pages où vous laissez libre cours à vos pensées. Ces pages n'auront pas toujours un contenu très intéressant, peu importe, ce n'est pas leur objectif. Leur relecture n'est permise qu'au bout de 8 semaines, alors patience ! Pourquoi les relire au bout de 8 semaines ? Pour prendre du recul sur soi et voir son évolution au fil des jours.

Tester le brainwashing

Julia Cameron explique que tous les questionnements que vous coucherez sur le papier tous les matins ne seront plus jamais un frein à votre créativité. Quand vous videz votre tête sur le papier, elle est alors libre pour se laisser aller à créer !

Pratiquer la gratitude

Si votre aspiration est plutôt de générer des pensées positives pour le reste de votre journée, réalisez des pages de gratitude : remerciez la vie de vous avoir donné un beau coucher de soleil en rentrant du travail, de pouvoir boire un bon café chaud tous les matins en arrivant au travail ou remerciez votre compagnon pour l'apéritif qu'il vous a préparé à 19 heures. #goodvibes

Je range mon appartement ou ma maison (5 min)

Pour se laisser aller à créer ou pour être dans un mood positif, il faut se sentir légère. Libération de l'esprit : check ! Libération de votre espace de vie : en cours ! Prenez 5 minutes pour une petite session rangement dans votre maison, faites votre lit, ouvrez les volets, videz rapidement votre évier. Vous voilà parée pour démarrer une journée en beauté !

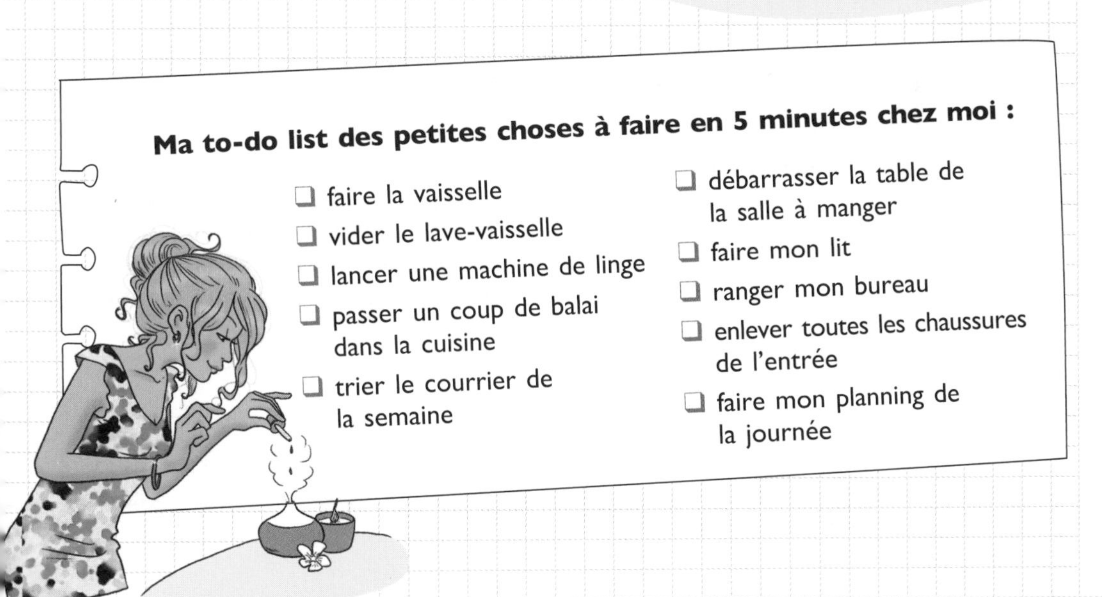

Ma to-do list des petites choses à faire en 5 minutes chez moi :

- ❑ faire la vaisselle
- ❑ vider le lave-vaisselle
- ❑ lancer une machine de linge
- ❑ passer un coup de balai dans la cuisine
- ❑ trier le courrier de la semaine
- ❑ débarrasser la table de la salle à manger
- ❑ faire mon lit
- ❑ ranger mon bureau
- ❑ enlever toutes les chaussures de l'entrée
- ❑ faire mon planning de la journée

L'importance de la routine vespérale

La routine vespérale est tout aussi importante que la routine matinale. Pourquoi ? Parce que ce que vous faites avant de vous coucher va fortement influencer votre temps d'endormissement et la qualité de votre sommeil. Et si votre sommeil est de mauvaise qualité, vous ne réussirez probablement pas à vous lever à l'heure prévue (mode snooze ON #cercleinfernal) et vous risquez de ne pas être très en forme tout le reste de la journée.

Pourquoi bien dormir est-il si important ?

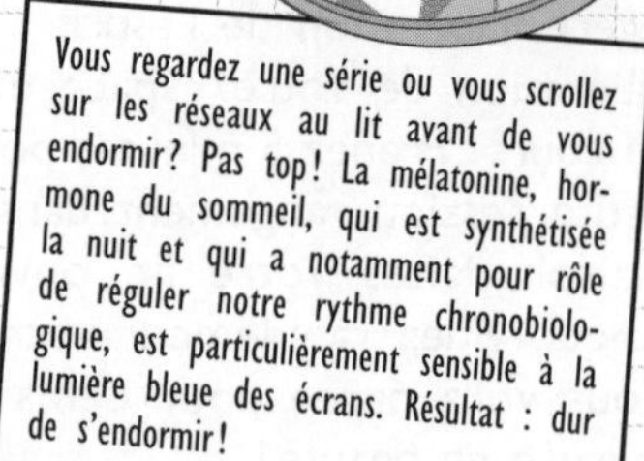

Le sommeil a une fonction physiologique qui va bien au-delà du fait de se sentir fatigué ou en forme le lendemain. En effet, il est prouvé que le sommeil permet le nettoyage du cerveau. Des toxines s'accumulent en journée et seraient évacuées pendant votre sommeil. Mais ce n'est pas tout ! Mal dormir a un impact majeur sur notre corps et notre esprit : prise de poids, maladies cardio-vasculaires, hypertension artérielle, troubles gastro-intestinaux, baisse de la motivation, difficultés dans les apprentissages, troubles du comportement, fragilité émotionnelle, risque de dépression, baisse des défenses immunitaires… on s'arrête là ?

> Vous regardez une série ou vous scrollez sur les réseaux au lit avant de vous endormir ? Pas top ! La mélatonine, hormone du sommeil, qui est synthétisée la nuit et qui a notamment pour rôle de réguler notre rythme chronobiologique, est particulièrement sensible à la lumière bleue des écrans. Résultat : dur de s'endormir !

Les 3 bienfaits de la routine vespérale

Se détendre

Une routine vespérale vous relaxe avant le coucher et vous permet donc de vous endormir sans ruminer. Si vous allez au lit énervée par les écrans ou après avoir eu une activité générant de l'excitation mentale ou physique (travail, sport), vous aurez des difficultés à vous endormir. Il y a de fortes chances pour que votre esprit fonctionne encore à 100 à l'heure et que les pensées parasites viennent encore retarder le moment de votre endormissement.

Caler son heure de coucher sur ses cycles du sommeil

En adoptant une routine vespérale, vous allez réussir à vous coucher presque tous les jours à la même heure. Ainsi, votre corps anticipe la diffusion de l'hormone du sommeil et favorise des cycles réguliers. À vous, le sommeil réparateur !

Terminer la journée en beauté

Vous avez démarré votre journée par une routine matinale énergisante? Vous avez eu la pêche toute la journée? Il serait dommage de terminer par une vilaine insomnie! En adoptant la routine vespérale, vous allez finir en beauté et profiter d'une belle soirée, la boucle sera bouclée!

Mon evening routine détente et bien-être

Cette intention est parfaite si vous avez passé une semaine ou une journée difficile, mais aussi si vous avez envie de prendre soin de vous dans un moment de détente, juste pour le plaisir!

Durée : de 30 min à 1 h en fonction de vos envies et de vos possibilités.
Cette routine vous propose d'utiliser différentes méthodes de détente en lien avec votre environnement, votre corps et votre esprit, la trilogie indispensable!

Je crée une ambiance hygge (10 min)

Ce terme danois ne trouve pas de traduction littérale en français. Considéré comme une véritable philosophie de vie, le hygge fait référence à une ambiance chaleureuse, cocooning, à un sentiment de bien-être et de sérénité. Les Danois appliquent ce hygge naturellement, il est véritablement inscrit dans leurs mœurs. Mais comment cela se matérialise? Chez soi, créer une ambiance hygge signifie jouer sur la lumière en proposant une ambiance lumineuse, chaleureuse et douce, propice à la détente (lumière jaune de faible intensité, bougies). Mais cela signifie aussi se sentir bien dans des vêtements chauds et agréables ou encore boire un chocolat chaud ou une tisane apaisante.

Je bois une infusion détente (10 min)

L'infusion peut être une bonne solution pour favoriser la détente à condition de ne pas la boire immédiatement avant d'aller se coucher, au risque de devoir se lever au milieu de la nuit! Pensez donc à anticiper et à boire votre infusion en début de routine. Il convient également de choisir son infusion avec soin. Pour un max de bienfaits et une tisane personnalisée, préparez vous-même votre mélange. Ce n'est pas compliqué et vous en retirerez une grande satisfaction personnelle.

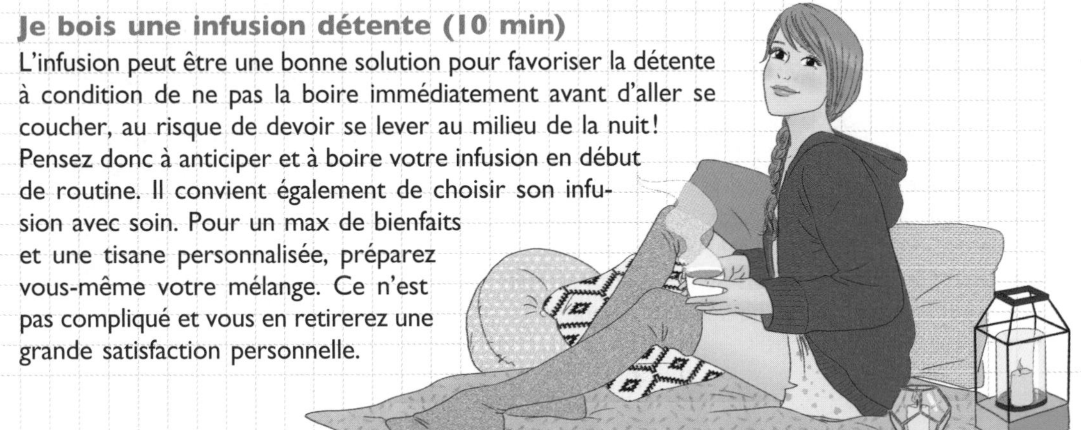

Mon mélange parfait

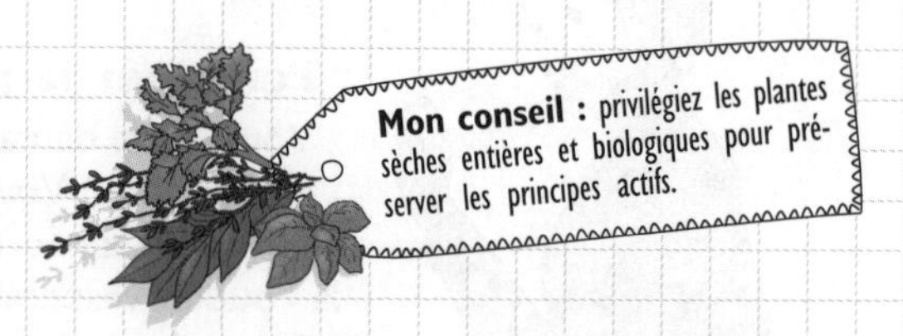

Pour maximiser vos chances de vous détendre, réalisez ce mélange composé de plantes toutes connues pour leurs vertus apaisantes et antistress : 1 c. à s. de mélisse (*Melissa officinalis*), 1 c. à s. de passiflore (*Passiflora incarnata*), 1 c. à s. de valériane (*Valeriana officinalis*) et 1 c. à s. (environ 3-4 feuilles) d'oranger amer (*Citrus aurantium*). Mélangez le tout et réservez dans un bocal hermétique. Le soir venu, versez l'équivalent d'une bonne cuillerée à soupe du mélange dans de l'eau bouillante (quantité : un peu plus que votre tasse). Laissez bouillir pendant 3 min, puis laissez infuser 10 min.

Je prends le temps de respirer (5-10 min)

Respirer, nous le faisons toute la journée de manière automatique grâce à notre système végétatif. L'exercice qui vous est proposé ici consiste à respirer de manière volontaire et consciente afin d'oxygéner votre corps (et surtout votre cerveau) et de détendre vos muscles. Détendez-vous en pratiquant une respiration qui utilise le shanmukhi mudra. Le principe de cet exercice de respiration est de fermer les portes par lesquelles vous recevez des informations sensorielles.

Let's go !

Asseyez-vous confortablement, le dos bien droit, et concentrez-vous sur votre inspiration et votre expiration. Puis, lorsque vous vous sentez prête, posez vos pouces dans vos oreilles, vos index délicatement sur vos paupières, vos majeurs sur les arêtes de votre nez (réduisez le passage de l'air sans occlusion totale), vos annulaires sur la lèvre supérieure et les auriculaires sur la lèvre inférieure. Respirez à votre rythme et pensez mentalement à la syllabe « so » à l'inspiration et « ham » à l'expiration. Réalisez cet exercice pendant 5 min minimum, puis enlevez délicatement les mains de votre visage et ouvrez doucement les yeux.

Mon evening routine antistress

Il y a des soirs où la détente et le repos sont insuffisants… Le stress s'est accumulé, vous sentez bien que vous êtes tendue et que l'insomnie vous guette. Vous devez avoir une routine vespérale spéciale antistress dans votre trousse de secours ! Chacun des rituels peut aussi être appliqué régulièrement dans une intention de détente, il n'y a pas de limite !

Durée : environ 30 min.
Cette routine est constituée de rituels d'organisation pour vous libérer l'esprit, de yoga et d'aroma antistress ainsi que d'un petit rituel feel good déstressant.

Je prépare la journée du lendemain (10 min)

Pour éviter le surmenage, il est essentiel d'avoir à sa disposition une méthode d'organisation rodée. Quoi de plus stressant que d'essayer de s'endormir alors que dans notre tête tourbillonnent toutes les tâches que nous ne devons pas oublier, les coups de fil que nous devons passer ou les mails à traiter ? Posez toutes ces idées sur le papier et votre esprit sera immédiatement apaisé ! Une solution tendance : le Bullet journal® ! Il nous vient des États-Unis et son créateur, Ryder Carroll, nous propose un système d'organisation en entonnoir à réaliser dans un carnet vierge :

- **La page future log (ou calendrier de l'année)** pour noter ses tâches ou événements sur le long terme. Cette page se trouve généralement en début de carnet et permet d'avoir une vue globale sur les mois à venir. Vous n'oublierez plus jamais les événements ponctuels qui sont généralement organisés très en avance (mariages, anniversaires, rendez-vous chez des spécialistes…).
- **Les pages monthly log (vue mensuelle)** pour noter les tâches ou événements à réaliser dans le mois. Ces pages sont à préparer chaque début de mois et permettent de faire un focus semaine par semaine sur le mois qui arrive pour se projeter et anticiper.
- **Les pages daily log (vue journalière)** pour la journée en cours. Ces pages sont à réaliser chaque jour (la veille pour le lendemain dans l'idéal) et permettent d'organiser la journée. Vous y notez vos rendez-vous, vos événements (confirmés ou pas), vos tâches et vos pensées. C'est la page idéale pour vous coucher détendue et vous lever sereine !

Je me libère la tête

À cela, Ryder Carroll ajoute le principe des collections qui permet de bannir à vie les Post-it® ou feuilles volantes. Vous avez envie de libérer vos émotions ? Prenez une page blanche et écrivez ce que vous ressentez dans l'instant pour vider votre sac ! Vous avez besoin de faire le point sur la façon dont vous pourriez vous détendre au quotidien ? Vous avez peur d'oublier des choses dans votre valise pour l'Islande ? Créez une liste ou notez vos astuces dans votre Bullet journal® pour pouvoir vous y référer lorsque vous en aurez besoin !

Vous accrochez avec le principe du Bullet journal® ? Pinterest et Instragram regorgent d'illustrations pour vous accompagner dans la création de votre carnet. Si vous souhaitez aller plus loin et prévoir des pages de développement personnel dans votre carnet, lisez *Mon cahier Bullet agenda* (Solar, 2017), il vous accompagnera pas à pas !

Je fais une séance de yoga antistress (10 min)

Le yoga peut être un excellent moyen de travailler sur ses émotions. Une séance d'une dizaine de minutes avec un enchaînement spécial visant la relaxation et la détente a toute sa place dans votre routine antistress !

La chandelle

THE posture pour lutter contre une émotion montante, elle permet un rééquilibrage du système nerveux grâce au mécanisme d'inversion (les pieds sont au-dessus de la tête). Effet calmant immédiat !

→ Allongez-vous sur votre tapis, les bras le long du corps et détendez-vous. Lorsque vous vous sentez prête, levez vos jambes à la verticale, puis votre bassin. Venez ensuite immédiatement supporter votre dos avec vos mains en les posant dans le bas du dos (paume des mains au niveau des vertèbres et le bout des doigts à la naissance des fesses). Prenez 10 respirations profondes, puis descendez délicatement en déroulant votre dos vertèbre après vertèbre.

Le chien tête en haut

Cette posture va vous permettre de réduire votre angoisse grâce à l'ouverture du cœur qu'elle induit. Impossible d'ouvrir votre cage thoracique si vous êtes toute tendue et crispée ! À l'inverse, ouvrir le cœur vous détendra instantanément.

→ À quatre pattes, inspirez, puis, à l'expiration, basculez votre corps en avant. Vos bras sont tendus, les épaules basses et en arrière (appuyez bien sur les bras), votre buste s'ouvre devant vous et vos jambes sont allongées au sol. Restez gainée pour ne pas pincer vos lombaires. Restez ainsi pendant 4 respirations, puis revenez à quatre pattes.

Le chien tête en bas

C'est la posture du lâcher-prise et du retour à soi. Vous allongez votre colonne vertébrale, ce qui détendra le dos, souvent crispé par les tensions, tout comme la nuque, complètement relâchée dans cette posture. Dans cette posture inversée, la pression artérielle baisse, pour un effet antistress au top !

→ À quatre pattes, pointes de pieds crochetées, levez les genoux et montez les fesses pour avoir la tête en bas et former avec votre corps un V inversé. Poussez bien sur les mains pour allonger le dos jusqu'au coccyx. Si c'est difficile, gardez les genoux légèrement fléchis. Restez dans la posture pendant une dizaine de respirations profondes.

Je fais un soin aux huiles essentielles (5 min)

Plusieurs huiles essentielles (HE) peuvent vous apporter détente et réconfort dans des situations de grand stress. Choisissez en fonction de vos envies et de votre intuition du moment :

- HE de lavande vraie (*Lavandula angustifolia* ou *Lavandula officinalis*) : versez 2 gouttes sur un comprimé neutre ou un petit morceau de sucre à avaler pendant votre routine vespérale.
- HE d'ylang-ylang (*Cananga odorata*) : versez 1 goutte sur un comprimé neutre ou appliquez directement 2 gouttes sur les tempes, l'oreille et les poignets.
- HE de marjolaine (*Origanum majorana*) : déposez 2 gouttes sur un comprimé neutre ou dans du miel et avalez.

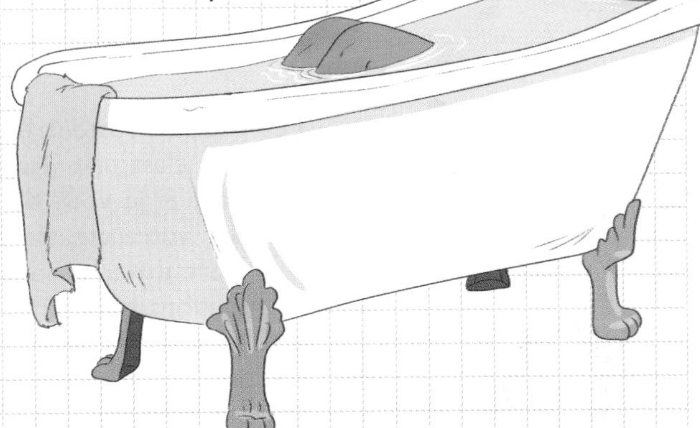

Je pratique la câlino-thérapie (5 min)

Si votre vie amoureuse vous le permet, ne vous privez pas d'un câlin tendre avec votre chéri, surtout si vous êtes stressée ! Au-delà du moment de tendresse, ce câlin – qui doit durer au moins 20 secondes – vous apporte une déferlante d'hormones. L'ocytocine, l'hormone du bonheur, entraîne une baisse du cortisol, l'hormone du stress, et engendre donc une sensation de bien-être et d'apaisement. L'endorphine, elle, baisse le rythme cardiaque et apaise immédiatement.

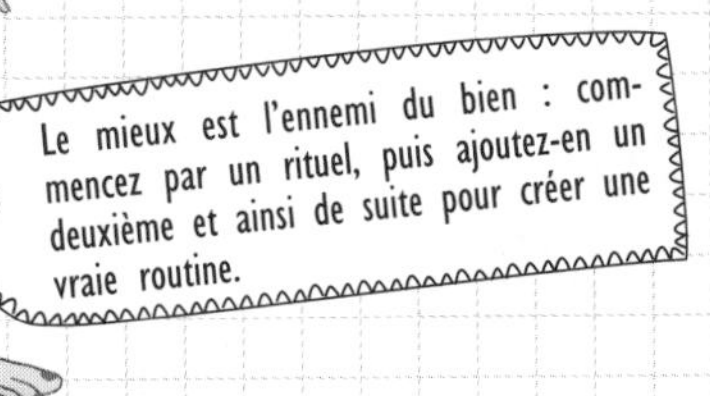

Chapitre 4

Mes rituels mind booster

Les rituels boostent tout votre potentiel ! En version mind booster, c'est une vraie thérapie du bonheur qui vous tend les bras ! Si je vous dis que certains rituels pourraient bien stimuler votre créativité, développer votre positive attitude ou encore travailler sur votre force intérieure, ça vous tente ? Trois intentions pour une vie plus fun et plus équilibrée, mais aussi la promesse de plus de joie, plus de bonheur et une vie plus intense. C'est un peu ce qu'on recherche toutes, non ?
Ce programme vous tente bien mais vous avez peur de manquer de motivation ? Un grand classique ! C'est pourquoi, en plus de ces trois thèmes mind booster, on aborde la volonté et la motivation !

Team long terme ou court terme ?
Chacun des rituels présentés ici pourra être abordé en version initiatique, et donc pratiqué ponctuellement, comme une découverte. Ensuite, vous pourrez choisir les rituels qui vous correspondent le mieux (force intérieure, créativité, positive attitude) et pratiquer les enchaînements de manière plus régulière ou en mode « urgence » en cas de grosse baisse de motivation.

Les rituels pour booster ma volonté et ma motivation

Aucun projet, aucun rêve, aucun rituel ne peut voir le jour sans une bonne dose de motivation et de volonté. Ce n'est cependant pas toujours facile de trouver les ressources nécessaires dans une vie à 100 à l'heure et des journées de 24 heures où les tentations sont nombreuses ! Certains rituels peuvent vous aider à développer une énergie supplémentaire.

Les 3 motivations dump

Être motivée et avoir de la volonté, ce n'est pas si naturel que ça ! Les obstacles existent, vous n'êtes pas la seule responsable. Voici toutes mes astuces pour combattre les ennemis de la motivation !

La volonté n'est pas illimitée dans une journée !

La volonté peut être vue comme un réservoir rempli d'un liquide. À chaque fois que nous sollicitons notre volonté, nous puisons dans notre réserve. Plus la tâche est ardue et plus le réservoir se vide rapidement. Certaines ont naturellement de gros réservoirs, d'autres de plus petits. Et ce réservoir est unique, qu'il s'agisse de puiser de la volonté pour notre travail (boucler le dossier demandé par la boss), notre chéri (préparer un repas en amoureux pour la Saint-Valentin) ou nos amis (nous motiver pour aller au cinéma un soir de grand froid). Vous devez donc garder en tête cette notion de réservoir lorsque vous développez vos rituels mind booster ou feel good.

→ **La règle ?** Mettez en place un seul rituel (ou une seule routine) à la fois sur une période qui ne vous sollicite pas excessivement par ailleurs (ne créez pas une nouvelle routine en plein déménagement, par exemple !).

Une vision à long et court terme

L'équilibre entre la vision sur le long terme et la vision sur le court terme a un impact sur notre volonté. La première permet d'avoir un but motivant et de se rendre compte de l'effet cumulé des petites actions positives (par exemple : si je fais 15 minutes de méditation par jour, au bout de plusieurs mois, je serai probablement plus concentrée, plus apaisée et en meilleure santé). Cependant, n'avoir qu'une vision du long terme peut être rapidement décourageant : c'est lointain et les effets ne sont pas visibles immédiatement.

À l'inverse, avoir une vision sur le court terme est important pour réussir à découper un gros objectif (par exemple : devenir très souple) en objectifs plus petits et plus facilement atteignables, donc beaucoup plus motivants (par exemple : réussir à toucher le sol avec mes doigts au bout de 3 semaines d'étirements réguliers). Vous voyez les effets concrets et vous êtes dans une dynamique de réussite.

Votre mission ? Parvenir à ce que les Américains appellent «*the big picture*», votre objectif sur le long terme, tout en pouvant le scinder en petits objectifs sur le court ou le moyen terme pour rester motivée ! L'idéal est d'utiliser l'écrit pour concrétiser cette double vision. Prenez votre carnet fétiche, inscrivez votre *big picture* en titre (votre objectif final pour lequel vous souhaitez booster votre mental, par exemple : «développer une pensée positive qui me permette d'être plus sereine dans mon quotidien»), puis, en dessous, inscrivez toutes les petites actions nécessaires pour atteindre cet objectif (par exemple : pratiquer la gratitude, être plus souriante au quotidien, parler en termes positifs). Chaque petite action pourra ainsi faire l'objet d'un rituel à appliquer régulièrement.

Des options limitées et précises

Retenez l'équation : moins d'options → moins de possibilités → moins de sollicitations de la motivation.

Kelly McGonigal, dans son ouvrage *The Willpower Instinct* (Avery, 2013) explique que la profusion d'options entraîne l'épuisement de la volonté. Pour illustrer ses propos, Kelly évoque le conquistador Cortés, parti à la conquête de l'empire aztèque. La légende dit que, pour motiver ses troupes, Cortés a fait brûler tous ses vaisseaux. Son objectif : limiter les options (celle de pouvoir s'enfuir face aux difficultés) pour que ses hommes n'en aient qu'une seule envisageable : vaincre (ou mourir). Ne vous laissez donc pas envahir par des rituels peu précis qui vous offrent trop de choix ! Soyez extrêmement claire sur votre intention et formalisez par écrit (même succinctement !) votre rituel du début à la fin.

Si vous vous laissez le choix entre telle et telle action au cœur de votre rituel, vous ouvrez la porte au doute et puisez dans votre réservoir de motivation !

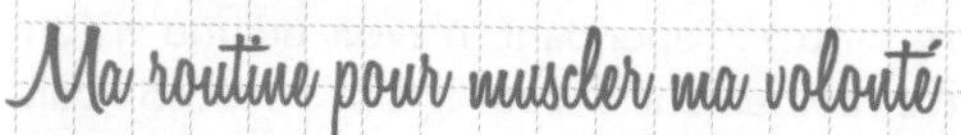

Ma routine pour muscler ma volonté

La volonté est certes nécessaire à la mise en place d'une routine, cependant une routine peut à elle seule vous aider à muscler votre volonté (ou à remplir votre réservoir si vous préférez !). Vous sentez que votre motivation est complètement à plat ? Pourtant, vous avez plusieurs projets sur le feu mais vous n'arrivez pas à décrocher de Facebook ou Netflix ? Vous devez absolument réussir à remplir votre réservoir de motivation !

Durée : 1 h ou plus en fonction de vos choix.
Cette routine est composée de rituels qui ressourcent le corps et l'esprit et de techniques de productivité.

Pour cela, rien de plus simple : sortir du mode focus, solliciter son corps (et plus seulement son esprit!) et lui insuffler de l'énergie, donner du sens à ce que vous faites et utiliser des techniques de productivité. Essayez donc cette routine boosteuse de volonté et repartez de plus belle!

Je souffle un bon coup! (15-30 min)

Inutile de vous poser devant votre ordinateur pour vous forcer à avancer sur votre projet, votre réservoir de volonté est vide, vous n'y arriverez pas! Il vaut mieux s'arrêter 1 heure pour se ressourcer plutôt qu'essayer de s'y mettre pendant des heures… et ne jamais vraiment y parvenir! Mais, attention, il ne s'agit pas d'enterrer définitivement votre motivation en vous mettant devant une série, ce n'est pas ressourçant! Se ressourcer, ce n'est pas rendre son cerveau passif comme devant la télévision, c'est lui permettre de s'aérer et de digérer les informations emmagasinées.
Commencez votre rituel boosteur de motivation en sortant de ce mode focus épuisant sur le long terme! Prenez 15 minutes pour souffler un bon coup et appelez votre meilleure amie, faites une sieste régénérante (30 minutes max), faites une aquarelle ou un dessin. Mieux : une séance de méditation, pour vous aider à prendre de la distance et recharger vos batteries.

Ma méditation minute

Installez-vous confortablement sur une chaise, le dos droit et les pieds à plat. Placez vos mains sur vos genoux dans la position la plus confortable pour vous. Fermez les yeux et prenez une inspiration profonde, puis bloquez 1 à 2 secondes, et enfin expirez (toujours par le nez!) tout doucement. Réalisez cet enchaînement une dizaine de fois tout en comptant mentalement « 1 » à l'inspiration, « 2 » à l'expiration.

Je mobilise mon corps (10-20 min)

Avez-vous remarqué qu'il arrive régulièrement d'être plus en forme après une journée de travail qu'après un dimanche à pantoufler devant la télé? Pas étonnant, l'action appelle l'action, l'inaction appelle l'inaction! Alors, mobilisez-vous! Sortez faire 15 minutes de jogging, 20 minutes de marche rapide, 100 tours de corde à sauter ou encore 10 minutes de trampoline. L'idée n'est pas de vous épuiser complètement, mais de relancer votre énergie corporelle. Choisissez une activité dans laquelle vous êtes à l'aise et pratiquez-la tranquillement. Go!

Je supprime les tentations (5 min)

Brûlez vos vaisseaux comme Cortés ! Supprimez les options qui pourraient vous distraire de votre objectif : notifications du téléphone (l'idéal est de supprimer les applications pour limiter les tentations au maximum !), écrans, sollicitations de tous genres…

Ma recette de chocolat chaud tip top

Déposez 1 c. à s. de cacao maigre dans une tasse, ajoutez 20 à 25 cl de lait végétal (lait d'amande, par exemple), une pointe sucrée à doser à votre convenance (sirop d'érable, miel, sirop d'agave) et, selon votre envie : une touche de cannelle et/ou de cardamome et/ou de vanille. C'est prêt !

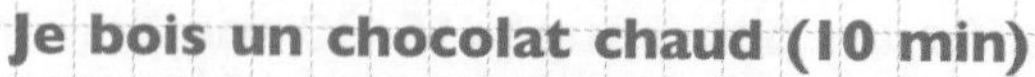

Je bois un chocolat chaud (10 min)

Non, ce n'est pas une blague ! Le cacao en poudre ou en fèves est très riche en magnésium. Le magnésium est un bon équilibrant du système nerveux, il réduit le stress et l'anxiété ainsi que les sensations de fatigue psychique et musculaire. Cela peut vous aider à passer le cap d'une période difficile ! Et puis, c'est bon, alors ça fait du bien au moral ! Préférez le cacao maigre pour favoriser son absorption et éviter la baisse d'énergie qui suit l'ingestion d'un aliment sucré. Les besoins journaliers en magnésium sont en moyenne de 300 à 400 mg par jour.

Le top 4 des autres aliments riches en magnésium

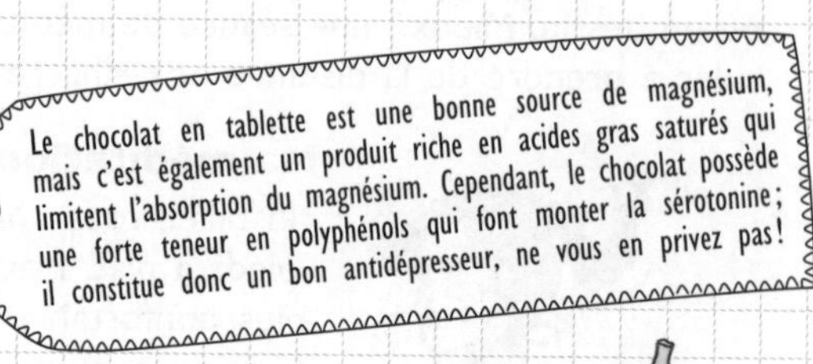

Le chocolat en tablette est une bonne source de magnésium, mais c'est également un produit riche en acides gras saturés qui limitent l'absorption du magnésium. Cependant, le chocolat possède une forte teneur en polyphénols qui font monter la sérotonine ; il constitue donc un bon antidépresseur, ne vous en privez pas !

- les céréales complètes : parsemez votre salade de son de blé et privilégiez le pain complet ;
- la noix du Brésil : elle contient jusqu'à 375 mg de magnésium pour 100 g ;
- les bananes : privilégiez les bananes séchées qui ont une teneur en magnésium plus élevée !
- les bigorneaux.

Je redonne du sens à mon action (15 min)

Quelquefois, la perte de motivation survient lorsqu'on ne sait plus vraiment pourquoi nous réalisons ce que nous réalisons : nous avons perdu le sens de notre action ! Or, pour maintenir notre motivation, nous devons absolument y avoir un intérêt direct et immédiat. Prenez 15 minutes pour faire le point, dans votre carnet (ou votre Bullet journal®), sur le « pourquoi du comment » de votre action. Même dans les situations les plus difficiles, vous allez trouver un petit rayon de soleil à inscrire sur le papier !

Je visualise le résultat de mes efforts (10 min)

Maintenant que vous avez retrouvé le sens de votre action, pour amplifier encore l'effet de levier, prenez 5 minutes pour visualiser votre objectif achevé. Fermez les yeux et vivez la scène de l'intérieur : que ressentez-vous ? Êtes-vous apaisée, soulagée, fière, heureuse ? Que voyez-vous ? Avec qui discutez-vous ?
Vivre la scène finale envoie un signal positif à votre cerveau : il anticipe les ressentis positifs. En gros, vous agitez la carotte pour vous aider à avancer… Cela peut suffire à lui fournir la dose de motivation nécessaire pour aller jusqu'au bout !

Je rationalise !

Pour couper le stress, rationalisez ! Le stress est une réaction d'adaptation de l'organisme qui se met en tension pour pouvoir réagir à une situation qu'il ne maîtrise pas. Pour l'éviter, il suffit de contrôler la situation, et pour cela, de rationaliser : si un dossier entier est impossible à gérer, de petites tâches peuvent être facilement appréhendées et font moins peur. Encore une fois, découpez une grosse tâche en mini-tâches ! Ça tombe bien, ce découpage pourra aussi tromper votre cerveau et vous aider à vous y mettre !

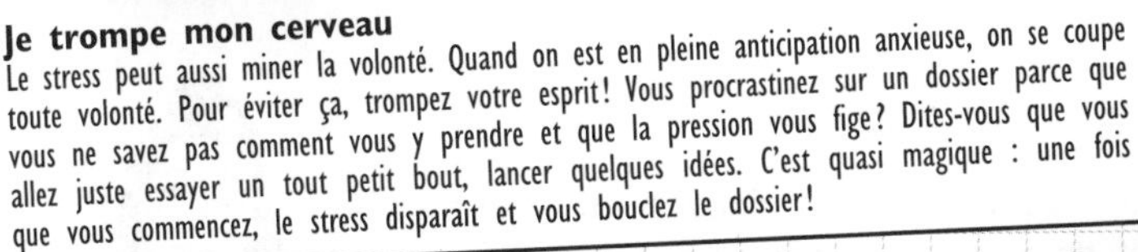

Je trompe mon cerveau
Le stress peut aussi miner la volonté. Quand on est en pleine anticipation anxieuse, on se coupe toute volonté. Pour éviter ça, trompez votre esprit ! Vous procrastinez sur un dossier parce que vous ne savez pas comment vous y prendre et que la pression vous fige ? Dites-vous que vous allez juste essayer un tout petit bout, lancer quelques idées. C'est quasi magique : une fois que vous commencez, le stress disparaît et vous bouclez le dossier !

J'utilise la méthode Pomodoro pour avancer pas à pas

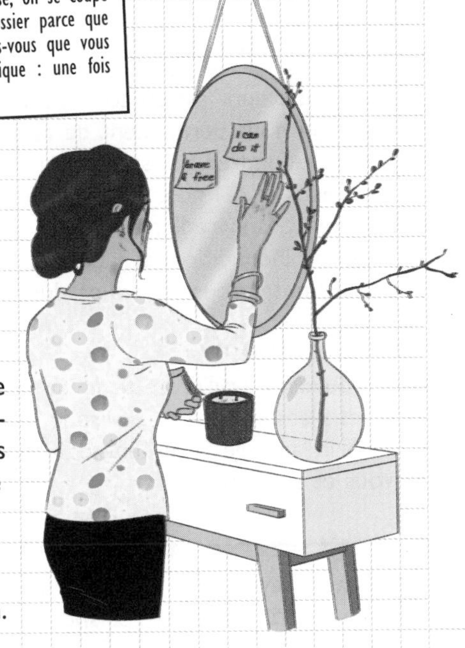

Vous avez fait une pause (le coup de fil à votre meilleure amie), une petite marche rapide dans le parc à côté de chez vous (une vraie bouffée d'air frais !), vous avez (enfin !) supprimé toutes les notifications de votre téléphone tout en savourant une tasse de chocolat chaud (# mégaréconfortant !). Si la technique vous a inspirée, vous avez écrit dans un carnet et visualisé le résultat de vos futurs efforts : vous êtes prête à vous y remettre, mais pas n'importe comment ! Inutile de repartir sur les chapeaux de roues, vous risquez d'épuiser de nouveau votre réservoir de motivation.

Continuez votre rituel boosteur de motivation en appliquant la méthode Pomodoro. Cette méthode, qui veut dire « tomate » en Italien (en référence aux minuteurs en forme de tomate), consiste à programmer des sessions de travail de 35 minutes pendant lesquelles vous ne touchez pas votre téléphone (de toute façon, vous l'avez éteint, n'est-ce pas ?!), ne regardez pas vos mails et avancez sur votre projet en mode focus. Au bout de ces 35 minutes où vous avez sollicité votre force de volonté, vous faites une pause et soufflez pendant 5 à 10 minutes. Puis vous programmez de nouveau une session de 35 minutes.

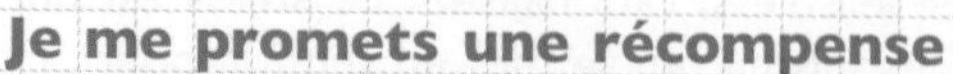

Je me promets une récompense

Prévoir des récompenses tout au long de la réalisation de votre projet peut être un véritable boosteur de motivation. Ces récompenses peuvent survenir à différents moments : de petites récompenses entre deux sessions de Pomodoro (un carré de chocolat – mais pas à chaque fois ! –, un petit texto à son chéri, un smoothie ou un câlin à votre chat !), et une grosse récompense à la fin de votre projet (un week-end en amoureux, une après-midi shopping, une soirée entre filles !)... C'est garanti : pressée d'obtenir votre récompense, vous allez avancer deux fois plus vite !

Mes rituels pour cultiver ma force intérieure

La force intérieure est ce courage, cette détermination et cette persévérance qui nous permettent de passer des périodes de vie difficiles sans nous effondrer. C'est elle qui nous maintient quand plus rien ne va, c'est elle qui nous aide à lâcher prise lorsque l'on n'a plus le contrôle. Ses ingrédients ? Confiance en soi + confiance en la vie + espoir inconditionnel + cool attitude ! Un cocktail miracle pour surmonter tous les coups durs et avancer sereinement !

Vive le zen power !

Pour pouvoir travailler cette force intérieure, il faut apprendre à avoir les pieds sur terre et vivre le moment présent. C'est ce qui va vous offrir l'ancrage, la sérénité et la force pour forger votre confiance en vous et en la vie.

Objectif vitalité et rayonnement !

Il faut aussi savoir dire stop aux sollicitations extérieures qui mangent notre énergie sans rien nous offrir en retour et apprendre à mieux gérer nos émotions pour maintenir notre vitalité. Mais également permettre à notre corps et à notre esprit de se reposer en toute quiétude et de se ressourcer. Des rituels qui, associés entre eux, créent une routine 100 % lumière intérieure !

Durée : 30 min environ
Cette routine est constituée de méthodes de détente et d'ancrage, de gestion des émotions, de ressourcement.

Je m'ancre dans le moment présent avec la méditation du chêne (10 min)

Dans son ouvrage *Les Nouveaux Sages* (Solar, 2017), Arnaud Riou évoque cette méditation comme une méditation d'ancrage, entre respiration et visualisation. L'ancrage, c'est la capacité à vivre ici et maintenant. C'est une technique qui développe la force intérieure car elle permet de cesser ou de limiter les ruminations, les pensées limitantes et négatives. Travailler cet ancrage est primordial pour avancer plus sereinement, mieux gérer ses émotions et réduire son stress. Elle vous offre sérénité, présence et rayonnement.

Let's go !

1. Dans un endroit confortable, installez-vous debout, le dos bien droit et fermez les yeux. Prenez de profondes respirations en focalisant votre attention sur l'air frais qui passe par vos narines à l'inspiration et l'air chaud qui en sort à l'expiration.
2. Puis portez votre conscience au niveau de votre sacrum : visualisez-le, soyez attentive à vos sensations (chaud, froid, frottement des vêtements, gêne).
3. Puis descendez lentement jusqu'à vos pieds et focalisez votre attention dessus. Que ressentez-vous au niveau de la plante de vos pieds ? Êtes-vous en parfait équilibre ou sentez-vous de légers mouvements d'avant en arrière ou de droite à gauche ?
4. Visualisez ensuite des racines qui partent de vos pieds pour aller s'ancrer profondément dans la terre et en aspirer une sève nourricière. Pour vous aider à la visualiser, donnez une couleur à cette sève, cette énergie vitale qui monte, vient irriguer votre cœur en passant par la colonne vertébrale. Prenez le temps de ressentir les bienfaits de cette énergie qui remplit tout votre corps.

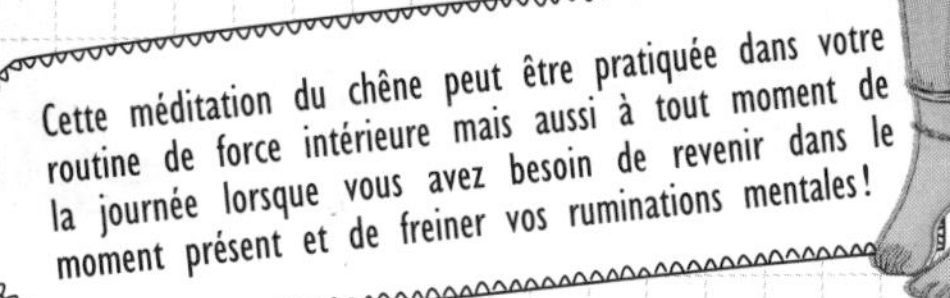

Je me repose et me ressource avec le no activity (10 min)

Vous non plus, vous ne savez pas ne rien faire? Nous sommes sans cesse sollicitées, pour sortir avec les copains, répondre à un coup de fil, regarder nos notifications, une série, lire un livre… la vie est tellement riche! Pourtant, il est primordial pour notre cerveau et pour notre bien-être de savoir ralentir. Pendant les périodes d'inaction, notre cerveau fait le ménage. Si si! Il fait le point sur nos souvenirs, nos expériences, il fait le tri entre toutes les informations que nous emmagasinons. Tout comme l'estomac a besoin de temps pour digérer les aliments, le cerveau a besoin de temps pour digérer les informations. Pourquoi le no activity profite à votre force intérieure? Parce que, pour avancer sereinement, il faut avoir l'esprit reposé et savoir dire stop aux sollicitations extérieures pour vivre le moment présent! Profitez donc de votre routine pour vous asseoir une dizaine de minutes et ne rien faire d'autre que de contempler le paysage ou le plafond de votre salon.

Je gère mieux mes émotions avec la cohérence cardiaque (5 min)

Non, la cohérence cardiaque n'est pas un acte médical, et tout le monde peut la réaliser chez soi! Il s'agit en fait de mettre en cohérence le cœur et la respiration. Ses bienfaits sont multiples : baisse des tensions dans le corps, réduction de l'anxiété et du stress, renforcement du système immunitaire et (c'est ce qui nous intéresse plus particulièrement ici!) meilleure gestion des émotions. La cohérence cardiaque permet de prendre de la distance avec ses émotions pour mieux les maîtriser. Les émotions négatives sont énergivores, les apaiser permet de laisser le champ libre au calme et aux émotions positives!

Let's go!

Le principe est simple : réalisez 6 respirations (6 cycles d'inspiration/expiration) par minute durant 5 minutes (cela équivaut à 1 respiration toutes les 10 secondes environ). L'idéal étant que le temps expiratoire soit légèrement plus long que le temps inspiratoire. Pour vous aider, cherchez un guide respiratoire sur Internet (YouTube est votre ami!). Pour obtenir tous les effets bénéfiques, pratiquez la cohérence cardiaque pendant 5 minutes 3 fois par jour.

Je développe ma patience avec la technique du N–10

Développer sa force intérieure, c'est aussi apprendre à devenir patiente. Si vous souhaitez ajouter un rituel boosteur de patience à votre routine, pratiquez le N–10 proposé par Elsa Punset dans son *Livre des petites révolutions* (Solar, 2017). Vous avez envie d'une barre chocolatée ? Acceptez ce désir, mais passez un contrat avec votre cerveau : « Ok pour la barre chocolatée, mais dans 10 minutes. » Cela apprendra à votre cerveau à freiner la déferlante d'hormones du stress lorsque vous désirez ardemment quelque chose. Self control power !

Mes rituels pour booster ma créativité

La créativité, c'est notre capacité à concevoir quelque chose de nouveau. C'est finalement notre capacité à faire émerger ou laisser venir de nouvelles idées (pour des projets ou nos envies), à visualiser (la décoration du salon ou la création d'une œuvre artistique, par exemple) ou encore à créer des objets ou des projets. Cela peut aussi être l'expression de notre petit grain de folie ! La créativité est présente en chacune de nous, mais, en tant qu'adultes, si nous ne travaillons pas dans un domaine artistique, nous la sollicitons rarement même si nous en avons envie. Nous sommes souvent rattrapées ou freinées par différents facteurs externes (« Réfléchis plutôt à faire un travail qui te permettra de gagner ta vie ») et internes (« Tu ne crois quand même pas que tu es capable de faire ça »). C'est dommage, d'autant plus que développer sa créativité a de nombreuses vertus : un esprit libéré, des ruminations mentales apaisées, un sentiment de fierté, un épanouissement personnel.

Je sors de ma zone de confort !

Sortir de sa zone de confort est un moyen de stimuler sa créativité car cela vous permet de casser les limites que vous vous étiez fixées, de vous ouvrir à de nouveaux possibles ! Mais ça veut dire quoi exactement, sortir de sa zone de confort ? C'est tout simplement réaliser une action que nous n'aurions habituellement pas réalisée par contrainte, honte, gêne, timidité, ou juste parce que nous n'en avons pas l'habitude ou que nous n'y avions jamais pensé. Il ne s'agit pas bien sûr d'aller au-delà de nos valeurs, mais d'oser.

Je trouve une idée

Prenez 30 minutes pour lister 15 façons de sortir de votre zone de confort. Ces inspirations peuvent être un vrai boosteur de créativité, mais aussi un boosteur de vie ! Les sorties de zone de confort sont extrêmement personnelles, puisque la zone de confort est propre à chacune de nous, cependant voici quelques exemples pour vous aiguiller :

- ❑ parler à un inconnu dans la rue
- ❑ faire une aquarelle et la poster sur son mur Facebook
- ❑ goûter un aliment spécial ou inventer une recette de cuisine
- ❑ sortir avec un vêtement très coloré
- ❑ aller chez le coiffeur et demander une coupe qui sort de l'ordinaire
- ❑ aller seule au concert de son chanteur préféré (mais seulement si personne ne veut vous accompagner, bien sûr !)
- ❑ acheter une paire de lunettes de soleil originale
- ❑ aller consulter une tarologue
- ❑ faire un saut à l'élastique
- ❑ faire une séance de yoga du rire
- ❑ participer à une session d'eye contact
- ❑ ....

Je planifie ma routine

Cette routine prend du temps et vous demandera probablement de sortir de chez vous ou d'avoir du matériel. Planifiez-la donc dans votre agenda, sinon vous risquez de la repousser en donnant la priorité à d'autres tâches plus importantes. Une sortie de zone de confort par mois, minimum, peut être instaurée pour que les effets se fassent ressentir.

- *Quelle est ma prochaine sortie de zone de confort?*
  ....
- *Combien de temps dois-je prévoir pour la réaliser?*
  ....
- *Quelle date ou période je choisis de fixer pour la réaliser?*..
- *Ai-je besoin de prévoir des achats ou des réservations en amont?*..

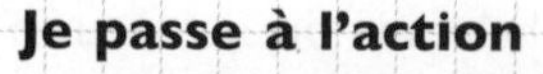

Je passe à l'action

Le jour de la réalisation de votre rituel «sortie de zone de confort», posez clairement votre intention : «Aujourd'hui, je sors de ma zone de confort dans l'intention d'ouvrir le champ des possibles, et par là de cultiver ma créativité.»

Ne reculez pas devant la difficulté ! Vous ressentez probablement une pointe de stress, vous avez sûrement envie de reculer et c'est justement à ce moment-là que vous explorez tout votre potentiel, lorsque vous ne reculez devant rien et que vous allez au bout de votre rituel! Vous allez en ressortir fière de vous, prête à relever le prochain défi avec un sentiment de liberté qui va donner des ailes à votre créativité!

Ça y est, vous l'avez fait? Bravo! Rentrez chez vous et prenez le temps d'écrire votre ressenti.

En sortant de ma zone de confort, j'ai ressenti…

....

....

J'ouvre la porte aux idées nouvelles

Notre créativité passe son temps à nous envoyer des idées que nous laissons la plupart du temps s'envoler. Quel dommage! Après vos rituels sortie de zone de confort, il est fort probable que de nouvelles idées, de nouvelles envies, de nouveaux projets émergent dans votre esprit. Recensez-les sur une page «Mes idées de génie» dans votre carnet ou votre Bullet journal®. Et pour ne pas en perdre une miette, ritualisez le tout en vous programmant des rendez-vous réguliers vers cette page, le lendemain de votre rituel de sortie de zone de confort, par exemple!

Les idées créatives à lister sur votre page «Mes idées de génie»
- Vos nouvelles envies
- Vos nouvelles idées
- Vos nouveaux projets
- Vos prochaines créations

Mes rituels pour booster ma positive attitude

La positive attitude, c'est un véritable état d'esprit qui se cultive au quotidien en menant une vie engagée, pleine de sens et de moments agréables, mais aussi en développant ses forces et ses talents. C'est un point essentiel pour qui veut booster sa vie! En apprenant à voir le verre à moitié plein plutôt qu'à moitié vide, on s'évite stress et tension sur une grande partie de la journée. Tout comme la créativité, la pensée positive est une façon de voir la vie qui demande une pratique régulière avant que cela devienne automatique.

Je pratique la gratitude au quotidien (10 min)

La gratitude est la capacité à être reconnaissant pour les petits et grands bonheurs qui émaillent notre vie. L'intérêt, c'est qu'en pratiquant la gratitude, nous prenons conscience de tous les jolis moments que nous vivons, et nous focalisons davantage notre attention sur eux plutôt que sur les choses moins agréables. Résultat : notre sentiment de bonheur est amplifié ! Pour apprendre à développer cette gratitude, vous avez plusieurs options à réaliser quotidiennement :

- **Tenir un journal de gratitudes** : écrire 1 à 3 gratitudes tous les jours dans un carnet.
- **Réaliser un challenge de gratitudes** : sur 30 jours, écrivez 1 gratitude par jour selon des thèmes prédéfinis.

Mon challenge 30 jours de gratitudes	
Jour 1	Printemps : qu'est-ce que j'aime au printemps ?
Jour 2	Livre : quel(s) livre(s) m'ont marquée ?
Jour 3	Anniversaire : quel anniversaire est mon plus beau souvenir ?
Jour 4	Tradition : quelle tradition j'apprécie (Noël, petits événements familiaux…) ?
Jour 5	Professeur : quel enseignant je souhaite remercier pour son soutien durant ma scolarité ?
Jour 6	Objet du quotidien : quel objet j'utilise au quotidien et que j'adore ?
Jour 7	Talent : de quel(s) talent(s) je suis dotée ?
Jour 8	Vacances : quelles vacances j'ai adorées ?
Jour 9	Musique : quelle musique me fait vibrer ?
Jour 10	Hiver : qu'est-ce que j'aime en hiver ?
Jour 11	Film : quel film m'a particulièrement plu ?
Jour 12	Vêtement : quel vêtement m'apporte du réconfort quand je le porte ?
Jour 13	Confiance en soi : qu'est-ce qui peut me donner confiance en moi ?
Jour 14	Cadeau : quel cadeau je suis heureuse d'avoir reçu ?
Jour 15	Nature : quels éléments naturels je chéris ?
Jour 16	Odeur : quelle odeur m'évoque un joli souvenir ?
Jour 17	Dessert : quel dessert est pour moi une vraie bénédiction ?
Jour 18	Joie : qu'est-ce qui peut me faire sourire ?
Jour 19	Souvenir : quel est le souvenir que je prends plaisir à évoquer ?

Mon challenge 30 jours de gratitudes	
Jour 20	Expérience professionnelle : quelle expérience professionnelle je pense avoir eu la chance de vivre ?
Jour 21	Coup de chance : quel coup de chance je suis heureuse d'avoir eu ?
Jour 22	Réunion familiale : de quelle réunion familiale je me souviens particulièrement ?
Jour 23	Été : qu'est-ce que j'aime en été ?
Jour 24	Qualité personnelle : quelle qualité je suis fière d'avoir ?
Jour 25	Partie du corps : quelle partie de mon corps je peux remercier d'être comme elle est ?
Jour 26	Qualité ami/amour : pour quelle qualité je peux remercier un amour ou un ami ?
Jour 27	Moment du jour : quel moment simple de la journée m'offre du bonheur ?
Jour 28	Automne : qu'est-ce que j'aime en automne ?
Jour 29	Ami : quel ami je peux remercier pour sa présence ?
Jour 30	Santé : quel est le point positif dans ma santé ?

Je réalise des gratitudes intérieures grâce à des déclencheurs !
Pour multiplier les situations où vous exprimez une gratitude, utilisez des déclencheurs. Par exemple, verbalisez mentalement une gratitude chaque fois que vous vous arrêtez devant un feu rouge. À vous de trouver le déclencheur qui vous convient le mieux !

J'ouvre les yeux sur le positif autour de moi avec le journaling (15 min)

En écrivant sur vos petits et grands bonheurs, vous amplifiez votre ressenti positif et le rendez plus durable ! Plusieurs options s'offrent à vous :

- Listez vos petits bonheurs (manger des crêpes au chocolat, caresser mon chat, faire des voyages en solo, acheter de la déco tendance...).
- Listez les chansons qui vous rendent happy pour pouvoir les ressortir lorsque la négative attitude pointe le bout de son nez !
- Listez des citations qui vous redonnent le moral en choisissant chaque fois une thématique positive : le courage, le bonheur, la chance, la sagesse, le changement.
- Écrivez vos petites et grandes victoires (« j'ai décroché mon premier gros contrat », « j'ai eu un retour positif d'un client », « j'ai enfin décidé de partir en voyage en solo »...).

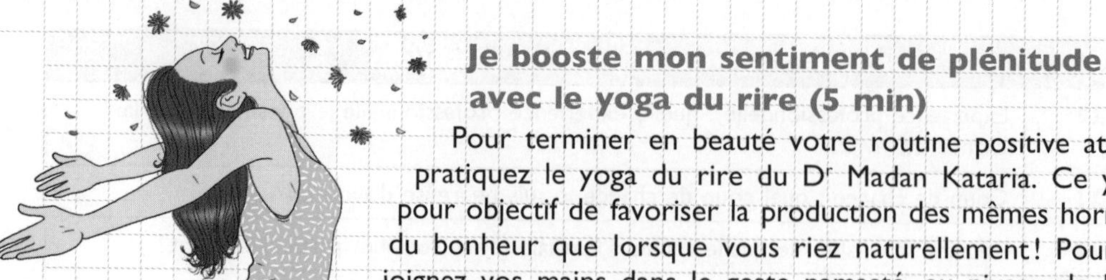

Je booste mon sentiment de plénitude avec le yoga du rire (5 min)

Pour terminer en beauté votre routine positive attitude, pratiquez le yoga du rire du Dr Madan Kataria. Ce yoga a pour objectif de favoriser la production des mêmes hormones du bonheur que lorsque vous riez naturellement ! Pour cela, joignez vos mains dans le geste namasté, au niveau de la poitrine, et prononcez des « ah ah ah » (rire), jusqu'à ce que le rire devienne naturel !

Chapitre 5

Mes rituels cocooning pour le corps

Lorsque nous menons une vie intense, notre corps est souvent malmené. Nous nous couchons tard pour profiter de nos soirées, nous mangeons à la va-vite parce que nous avons un rendez-vous urgent, nous avons mal au dos à force de rester assise à notre bureau, nous repoussons sans cesse nos séances de sport parce qu'il fait froid dehors… Pourtant, nous devons chouchouter notre corps autant que notre esprit ! Le soigner, le relaxer, l'étirer, le muscler, lui donner une nourriture saine, prise en conscience… autant de rituels (et de petits bonheurs !) à réaliser au quotidien pour nous cocooner au maximum.

Mes rituels foody

Nous mangeons plusieurs fois par jour, tous les jours de notre vie ! On est bien dans un rituel ! Cependant, ce rituel est peu conscientisé et nous mangeons sans toujours avoir en tête une visée de bien-être. Et pourtant, la nourriture est le carburant de notre corps, elle a une importance capitale. Les nutriments nous fournissent l'énergie nécessaire pour tenir sur la longueur, l'eau apporte l'hydratation indispensable à nos tissus et nos organes. Mais bien manger, c'est aussi lutter contre le vieillissement prématuré et les maladies. Le plaisir de manger procure une sensation de bien-être maximal !

Cependant, les temps de repas ne sont pas toujours parfaits : entre nos vies sociales de plus en plus mouvementées, les tentations alimentaires permanentes (yummy, les chips !), le manque de temps, l'influence du marketing publicitaire… dur dur de respecter l'équilibre ! Une vraie routine foody peut vous apporter de nombreux bénéfices !

Ma routine pré-repas

Un repas, ça se prépare et ça s'anticipe ! Pourquoi ? Tout simplement pour éviter de l'ingurgiter avant même de vous en rendre compte ! Le temps de repas doit être un vrai temps dans votre journée, au même titre que n'importe quelle tâche importante de votre to-do list. Prévoyez ce moment dans votre planning et réalisez cette routine pré-repas pour vous mettre en appétit.

Je choisis mes aliments avec soin

Fini, d'ouvrir votre frigo en soufflant parce qu'il est vide ou d'acheter un sandwich à la boulangerie du coin ! Il est impératif que vous preniez le temps de choisir les aliments que vous allez manger. Cela suppose de privilégier le primeur ou l'épicerie bio, de faire ses courses avec soin et en conscience, de préparer une liste de recettes, puis de cuisiner soi-même.

Je m'hydrate en buvant un verre d'eau

Mais pourquoi boire un verre d'eau AVANT le repas ? Tout simplement car si vous buvez pendant ou après le repas, cela va diluer les sucs gastriques et donc rendre votre digestion plus difficile. Fallait y penser !

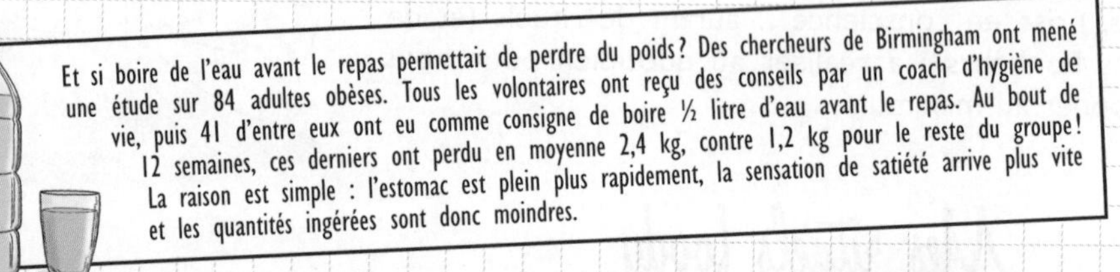

Et si boire de l'eau avant le repas permettait de perdre du poids ? Des chercheurs de Birmingham ont mené une étude sur 84 adultes obèses. Tous les volontaires ont reçu des conseils par un coach d'hygiène de vie, puis 41 d'entre eux ont eu comme consigne de boire ½ litre d'eau avant le repas. Au bout de 12 semaines, ces derniers ont perdu en moyenne 2,4 kg, contre 1,2 kg pour le reste du groupe ! La raison est simple : l'estomac est plein plus rapidement, la sensation de satiété arrive plus vite et les quantités ingérées sont donc moindres.

Je fais preuve de gratitude envers moi-même

Vous avez pris le temps de vous préparer une belle salade colorée pour votre déjeuner ou une soupe chaude pour votre soirée pluvieuse ? Prenez le temps de vous remercier pour cela, de vous dire que ce geste de bien-être que vous proposez à votre corps est d'une importance capitale. Cela vous donnera envie de recommencer encore et encore… En plus, un repas pour lequel vous éprouvez de la gratitude vous profite beaucoup plus : si vous êtes satisfaite, vous êtes plus détendue, ce qui promet une bonne digestion et une meilleure assimilation des nutriments !

Je pose l'intention de manger en conscience

Vous vous souvenez ? Pas de rituel sans une intention claire et consciente posée en amont ! Un repas réussi est un repas pris en conscience, posez donc cette intention avant de commencer : « Je vais profiter de mon repas en le mangeant en pleine conscience. »

Ma routine repas

Je mange en pleine conscience

Fini, le repas avalé en 5 minutes sur un coin de bureau en regardant une série ! Manger en conscience signifie plusieurs choses.

Ne vous consacrez qu'à ça

Exit, les sms, la télévision ou les magazines ! Manger est un acte important qui mérite qu'on le réalise pleinement.

Mangez en sollicitant pleinement vos sens

Gardez les yeux grands ouverts et observez attentivement les aliments. Puis préparez-vous une cuillerée et portez-la près de votre nez pour sentir la profusion d'odeurs qui se dégagent. Ensuite, portez votre cuillerée en bouche et prenez le temps de découvrir les aliments avec votre langue : texture (lisse, rugueuse, moelleuse, ferme), température (chaud, froid, tiède), sensations olfactives liées à l'éclatement des molécules. Puis mastiquez consciencieusement jusqu'à ce que les aliments soient réduits en purée.

Prenez le temps

Octroyez-vous une pause repas d'1 heure minimum (si possible !) et posez vos couverts sur la table entre chaque bouchée pour ralentir.

Vous trouvez cette phase de pleine conscience bien trop longue pour votre pause déjeuner de la semaine ? Aucun problème ! Cette étape doit être réalisée lentement, mais vous pouvez aussi prendre moins de temps pour chaque étape. Il reste cependant important de solliciter tous ses sens pour conserver les bénéfices de la pleine conscience. 15-20 minutes devraient suffire !

Objectif minceur et bien-être !

Manger en pleine conscience vous permettra de mieux digérer. Quand vous prenez le temps de mastiquer consciencieusement les aliments, cela entraîne la libération de sucs digestifs. Cette libération engage une prédigestion, qui facilite le travail de digestion dans l'estomac dans un second temps. Mais cela vous permet aussi de vous rapprocher de votre poids de forme, car cela augmente votre conscience de votre satiété (qui peut totalement passer inaperçue si vous mangez devant

votre télévision !). Ainsi, vous arrêtez de manger au meilleur moment pour votre corps.
Enfin, l'alimentation de pleine conscience augmente significativement le plaisir de manger, ce qui n'est pas rien !

La sensation de ne plus avoir faim dépend de plusieurs facteurs physiologiques que nous ne maîtrisons pas. Il y a cependant un facteur essentiel sur lequel nous pouvons jouer : le temps ! Le cerveau envoie un message de satiété environ 20 minutes après le premier aliment ingéré. Plus les aliments sont ingérés vite, et plus ils tombent au fond de l'estomac. Or pour que les capteurs de l'estomac envoient un message de satiété, il faut qu'ils soient entièrement recouverts. Alors, prenez votre temps. Quand on mange en faisant autre chose, on a tendance à manger plus vite sans se soucier des messages envoyés par son corps !

Mes rituels body feel good

Bien manger c'est essentiel, mais savoir prendre soin de son corps l'est tout autant ! Et puis, chouchouter son corps, c'est indirectement chouchouter son esprit. Vous vous sentez tendue ? Et si vous passiez par votre corps pour détendre votre esprit ? À corps détendu, tête détendue ! Votre mental est fatigué ? Stimulez l'énergie de votre corps, votre tête va en récolter les bénéfices !

Mes rituels relax body

Parce que se détendre est absolument in-dis-pen-sable pour avoir un moral d'acier et ne pas frôler l'épuisement, voici des rituels détente pour chouchouter votre corps : bains chauds, massages, respirations relaxantes, rituels ayurvédiques… de quoi vous procurer un sentiment de sérénité quasi immédiat ! Vos tensions vont se relâcher, votre esprit s'apaiser. Ces rituels sont parfaits si vous vous sentez tendue et que vous avez besoin d'une bulle de douceur. Cocooning style !
Chaque rituel peut être pratiqué de manière indépendante, mais aussi sous forme de routine, chaque week-end par exemple.

Ma routine relax du matin : le dinacharya ayurvédique

Ce rituel ayurvédique s'applique le matin pour démarrer la journée sereinement. L'ayurveda est la première médecine connue. Née en Inde 3 000 ans avant J.-C., cette science est toujours pratiquée aujourd'hui et repose principalement sur la nutrition, l'utilisation de remèdes à base de plante et de rituels bien-être (massages, yoga...). Loin d'être une science obscure, l'ayurveda est de nos jours reconnu par l'OMS (Organisation mondiale de la santé) comme médecine traditionnelle. Elle considère que le corps, l'esprit et l'âme sont indissociables, c'est pourquoi elle cherche à équilibrer ces trois dimensions. La routine quotidienne est un point essentiel de la médecine ayurvédique. Nommée « dinacharya », cette routine matinale consiste à nettoyer ses organes sensoriels dans le but de s'accorder avec les rythmes de la nature, d'entrer en concordance avec son horloge biologique et de favoriser la circulation des énergies dans tout le corps. Un vrai moment de douceur et de bien-être !

Durée : 10 min
À faire quand ? Tous les matins !

5 sens	5 organes sensoriels	Routine
Ouïe	Oreilles	Déposez 1 goutte d'huile de sésame sur votre auriculaire et nettoyez votre conduit auditif en douceur.
Goût	Langue	Avec un grattoir à langue, faites 5 à 10 gestes d'arrière en avant, puis lavez-vous les dents. Si vous le souhaitez, vous pouvez aussi ajouter un gargarisme d'eau salée au curcuma pour clôturer le rituel.
Odorat	Nez	Le « jala neti » consiste à effectuer un nettoyage minutieux de toute la cavité nasale. Traditionnellement, un « lota » (petit arrosoir) est utilisé avec de l'eau salée. Tête penchée au-dessus du lavabo, on verse de l'eau dans une narine qui ressort par l'autre narine. Si vous ne souhaitez pas appliquer strictement le rituel ayurvédique, un spray de solution saline acheté en pharmacie suffit !
Toucher	Peau	Rincez votre visage à l'eau froide.
Vue	Yeux	Vaporisez une eau florale (fleur d'oranger ou bleuet) sur vos yeux clos.

Ma routine relax du soir

Durée : 1 h ou plus si vous le souhaitez ! Plus le rituel est long, plus les effets détente se font ressentir.
À faire quand ? Le soir pour vous relaxer après une journée difficile, ou le week-end.

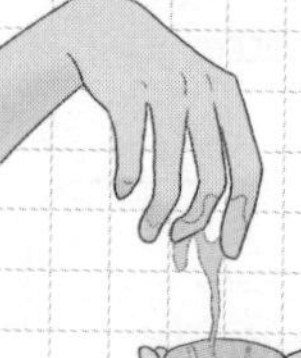

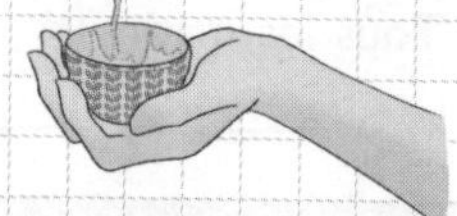

Je pratique l'automassage

Les automassages sont utilisés dans de nombreuses cultures traditionnelles en Inde, en Chine ou encore au Japon. Différentes techniques existent selon votre intention mais aussi selon votre feeling ! En voici quelques-unes.

Automassage abhyanga (15 min)

Envie d'un instant de douceur et de tendresse ? Testez l'abhyanga (dans sa version simplifiée), massage ayurvédique typique qui se pratique avec de l'huile chaude. Il permet de tonifier le corps, de stimuler la circulation sanguine et lymphatique, il baisse le stress et l'anxiété, améliore le sommeil, et pour couronner le tout… il rend la peau plus douce !

Une fois votre huile choisie (huile de coco ou de sésame, par exemple), faites-en chauffer entre 5 et 10 ml au bain-marie. Installez-vous dans votre douche et commencez votre automassage par la tête.

1. Prenez le temps de masser délicatement votre cuir chevelu (fermez les yeux pour augmenter vos ressentis tactiles), puis descendez au niveau de votre nuque. Massez de droite à gauche et de haut en bas. Utilisez toute la surface de votre main : la pulpe des doigts, la paume et même le haut de vos poignets pour des massages plus toniques.
2. Massez ensuite délicatement tout votre visage sans oublier les tempes (en massage circulaire), et surtout les oreilles !
3. Puis descendez au niveau des pieds. Choisissez la version rapide (massage de la plante des pieds avec le haut de vos poignets) ou la version longue (massage de toutes les parties du pied, y compris entre les orteils !).
4. Remontez ensuite à vos chevilles, massez-les par des mouvements circulaires. Continuez par les jambes, que vous pouvez masser en longueur, de haut en bas (et en profondeur si cela vous fait du bien !). Et n'oubliez surtout pas les fesses !

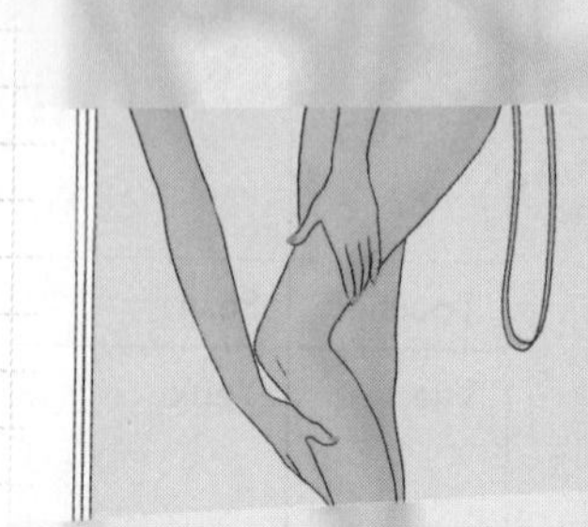

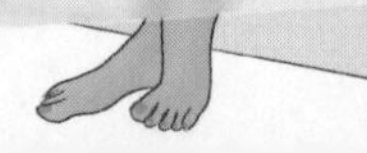

5. Poursuivez votre progression en massant le bas de votre dos (mouvements circulaires) et vos bras (massage en longueur).

6. Terminez par vos intestins (massage dans le sens des aiguilles d'une montre) et votre torse. Prenez une bonne douche ou un bon bain !

Automassage réconfortant (10 min)

Vous n'avez pas envie de faire de gestes techniques ? Vous recherchez plutôt une solution simple applicable à tout moment ? Un massage réconfortant est un massage qui est à l'écoute de votre corps. Prenez quelques minutes pour fermer les yeux et faire un body scan (voir p. 26). Ensuite, prenez le temps de masser délicatement les zones qui vous ont paru tendues. Ce massage peut être totalement intuitif et ne nécessite aucun matériel. Écoutez votre corps et procurez-lui un instant de détente.

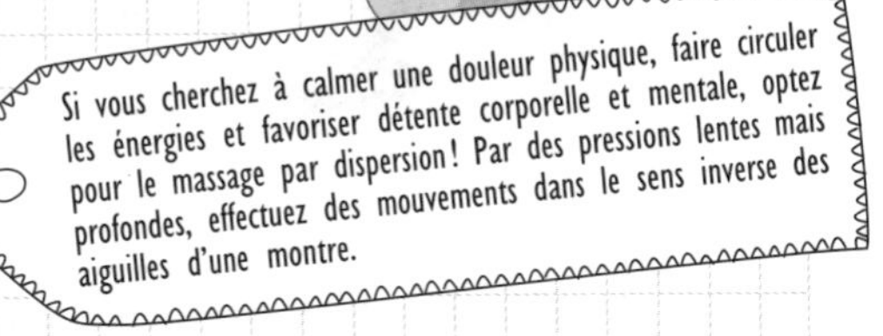

Je prends un bain chaud aux huiles essentielles (20 min)

C'est le rituel du soir par excellence ! Faites couler un bon bain chaud, puis préparez votre pièce pour une ambiance hygge : quelques bougies et un coussin de bain si vous avez. La chaleur du bain (35-37° maximum) va faciliter la pénétration des principes actifs des HE. Effet garanti !

Mon bain cocooning

Sélectionnez une huile essentielle : camomille romaine, néroli, marjolaine à coquilles, nard de l'Himalaya, lavande officinale, encens oliban ou géranium rosat (elles sont particulièrement efficaces pour la détente et la relaxation). Versez 10 gouttes dans un dispersant : 60 ml de lait ou de crème fraîche comme Cléopâtre, ou 2 c. à s. de votre shampoing ou gel douche, car les huiles ne sont pas solubles dans l'eau. Et si vous souhaitez réaliser un mélange, testez 5 gouttes de lavande vraie + 5 gouttes de camomille noble + 5 gouttes de néroli dans un dispersant pour une synergie détente maximale.

Pour un effet Waouh ! utilisez des fleurs séchées. 2 c. à c. de lavande, 2 c. à c. de zestes d'orange râpés et 2 c. à c. de romarin feront l'affaire !

Je fais une pause sophro antistress (10 min)

Vous sentez que le stress vous envahit ? Pratiquer une session de respiration antistress est peut-être le rituel bien-être qu'il vous faut ! La respiration en conscience va vous permettre de prendre de la hauteur sur l'origine de votre stress, de dédramatiser la situation et de mieux gérer vos émotions (parce qu'il faut avouer que, sur le coup, il nous arrive souvent d'amplifier involontairement le caractère négatif de certaines situations !). En plus, une respiration de qualité améliore l'oxygénation de votre cerveau, stimule votre système immunitaire et vous donne de l'énergie.

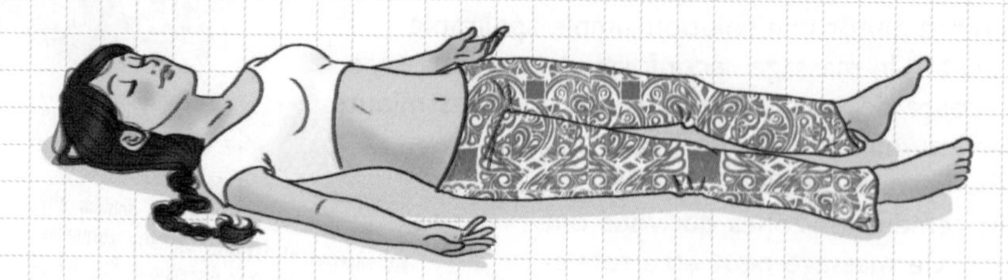

Let's go !

Installez-vous confortablement sur le dos, jambes et bras légèrement écartés, paumes de mains vers le haut. Respirez naturellement, sans contrôle, et observez votre abdomen monter et descendre lentement. Lorsque vous vous sentez prête, dites mentalement « je lâche » à l'inspiration, puis « prise » à l'expiration tout en effectuant un body scan, des pieds jusqu'à la tête (voir p. 26). Ce scan consiste à observer toutes les parties du corps une à une (le visage, le crâne, la nuque, les épaules…) et à focaliser son attention sur la détente musculaire liée à chaque expiration. Au bout d'une dizaine de minutes, une fois votre body scan terminé, bougez lentement vos doigts et vos orteils et étirez-vous si vous le souhaitez !

Ma routine relax journée ou week-end

Durée : 45 min
À faire quand ? Le soir ou le week-end.

Je pratique le shinrin yoku (45 min)

Mot japonais signifiant « bain de forêt », le shinrin yoku est aujourd'hui reconnu scientifiquement pour ses nombreux bénéfices. Comment ça marche ? Les arbres sécrètent des phytoncides, des huiles essentielles, qui tombent de leurs feuilles. Pour profiter de tous les bienfaits de cette pratique, se balader simplement en forêt ne suffit pas. Le shinrin yoku consiste en une immersion dans la forêt en mode pleine conscience. Marcher 2 heures en forêt provoquerait une baisse du taux de cortisol (hormone du stress), de la pression artérielle et de la fréquence cardiaque, une augmentation de l'immunité et une sensation de calme intérieur (par une action sur les systèmes sympathiques et parasympathiques). Si vous souhaitez pousser l'expérience jusqu'au bout, restez 3 jours en forêt et vous provoquerez une augmentation significative de vos cellules immunitaires. C'est la tendance du moment, la forêt est *the place to be*!

Il n'y a pas de forêt près de chez vous? Un parc suffira!

Let's go!

Programmez votre sortie en forêt dans votre agenda. Prévoyez au moins 45 minutes sur place pour pouvoir en tirer un minimum de bénéfices. Partez les mains vides (ou avec un petit sac à dos et une bouteille d'eau s'il fait chaud) et éteignez votre téléphone portable. Votre mission? Marcher sans autre but que vous immerger dans ce milieu naturel. Durant cette marche, vous allez solliciter tous vos sens en pleine conscience (voir p. 9). La vue : observez les arbres, les mousses, les petits animaux, les insectes et le ciel. L'odorat : sentez les odeurs de la terre, des fleurs, des troncs d'arbres. Le toucher : effleurez les feuilles des arbres, touchez les herbes, les pierres. L'ouïe : soyez attentive aux chants des oiseaux, au bourdonnement des insectes, au bruissement du vent dans les feuilles. Si vous le souhaitez, vous pouvez tenter l'expérience en marchant pieds nus, un must pour être pleinement attentive à vos sensations! Pour compléter cette expérience de pleine conscience, le shinrin yoku propose d'être attentif à ses émotions, d'observer ses états mentaux avec hauteur et bienveillance, ses sensations physiques sans poser de jugement dessus. Être seulement présente à votre environnement et à vous-même, ce qui sous-entend de laisser passer ses pensées et de se concentrer sur ses ressentis… Une sorte de méditation! Pour parfaire le tout, réalisez cette marche len-te-ment… vous n'êtes pas là pour faire votre sport!

Mes rituels energy body

Il y a des moments où nous avons besoin d'insuffler de la puissance à notre corps (et donc indirectement à notre esprit). Les rituels energy body sont là pour vous rebooster! L'énergie de notre corps dépend bien sûr de ce que nous mangeons (vive les rituels foody! voir p. 57) mais pas seulement! Elle dépend aussi de votre état d'esprit, de vos hormones, des énergies qui circulent dans votre corps. Autant d'éléments que vous pouvez solliciter grâce à des rituels spécifiques. Piochez le rituel qui vous convient selon votre besoin, le temps dont vous disposez et le lieu.

La posture de puissance

Dans son TEDx « Votre langage corporel forge qui vous êtes », Amy Cuddy nous livre une astuce facile à appliquer et qui pourrait changer notre regard sur nous-même et nous donner une énergie insoupçonnée ! Les chercheurs ont montré que, selon la position corporelle que l'on adoptait, notre corps diffusait différentes hormones : plus de testostérone et moins de cortisol (hormone du stress) dans les positions power, et moins de testostérone, plus de cortisol dans les positions de fragilité. Mieux encore, en adoptant pendant seulement 2 minutes une position power, vous pouvez modifier les hormones de votre corps, et donc potentiellement développer un sentiment de force et de confiance. Magique !

Durée : 3 min
À faire quand ? La chercheuse propose de tester cela à différents moments de la journée : dans l'ascenseur avant d'arriver au bureau, dans la salle de bains avant de partir au travail, dans les toilettes pendant votre pause déjeuner, dans votre chambre au saut du lit.

Les postures power et énergie !

Ce sont des postures d'ouverture, des postures qui occupent beaucoup d'espace : bras levés en l'air, mains posées sur les hanches ou encore jambes écartées. *A contrario*, les postures qui sapent la confiance en soi sont celles où l'on se replie sur soi, cherchant à prendre le moins de place possible, les épaules rentrées, le dos rond, les bras croisés. Vous savez ce qu'il vous reste à faire (on comprend mieux le *manspreading*, reprenons le pouvoir !).

Je recharge mes batteries avec les power nap

La sieste est souvent mal vue, pourtant ses bienfaits sont aujourd'hui reconnus. Elle permet de recharger ses batteries grâce à une baisse des rythmes respiratoire et cardiaque qui provoque un regain d'énergie. En plus, la sieste possède de nombreux effets secondaires bénéfiques : elle améliore la mémoire, augmente la créativité, baisse le niveau de stress, rééquilibre le système nerveux et améliore la digestion. C'est le deuxième effet Kiss Cool !

Durée : 20 min max.
À faire quand ? Tous les midis !

Mes 3 conseils pour une sieste éclair au top

- Trouvez-vous un lieu calme et confortable (le lit n'est pas obligatoire, on peut rester assise).
- Ne dépassez jamais 30 minutes pour éviter de tomber dans une phase de sommeil plus profond au risque de vous réveiller groggy ! Mettez un réveil !
- Privilégiez la période entre midi et 15 heures pour éviter de perturber votre nuit de sommeil.

Contrairement aux idées reçues, la grasse matinée ne permet pas de rattraper le retard de sommeil accumulé dans la semaine (ce que les spécialistes appellent « le jet lag social »). Rien n'est rattrapé car la qualité du sommeil du matin est inférieure à la qualité du sommeil du soir. Cela perturbe l'horloge biologique, impacte l'humeur et cela augmenterait même les risques de développer une maladie cardio-vasculaire. Alors, levez-vous toujours à la même heure et faites des micro-siestes !

Chapitre 6

Mes rituels féminins

Après avoir optimisé le bien-être de votre corps et de votre esprit, les rituels boostent votre féminité ! Les rituels et les femmes, c'est une longue tradition. Grâce aux routines fondées sur votre cycle menstruel, accédez à votre féminin sacré !

Girl power !

Le féminin sacré, c'est ce qu'est une femme dans son essence, dans sa profondeur, dans ses valeurs. Ce ne sont pas les codes féminins dictés par la société, les qualités et l'apparence qu'on nous demande d'avoir. Accéder au féminin sacré, c'est s'affranchir de ces normes et toucher du doigt celle que nous sommes au plus profond de nous-même. C'est accepter et aimer son corps de femme, valoriser ses valeurs, ses émotions de femme, c'est entrer en communion avec son corps et ses fluctuations mais aussi avec la Nature. Grâce à ça, nous retrouvons notre puissance et notre fierté. C'est sentir que nous faisons partie d'un tout bien plus grand que nous, l'univers ! Alors, prête à vous lancer dans la quête de votre féminin sacré ?

J'entre en connexion avec mon cycle féminin

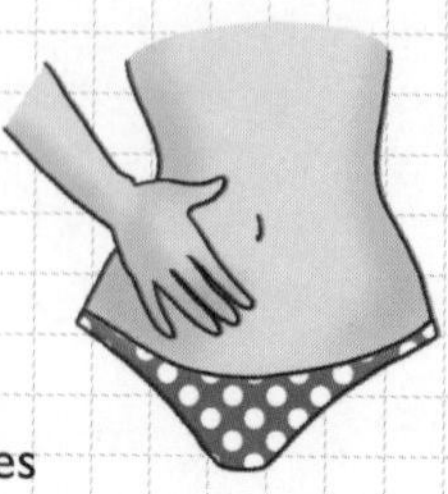

Le corps des femmes est profondément cyclique à cause des règles, le moyen le plus direct de vous reconnecter à votre féminin sacré. Mais notre cycle menstruel ne se résume pas à la période des règles, il est constitué de 4 phases, pour un total d'environ 28 jours. Chacune de ces phases entraîne des variations physiologiques et émotionnelles

qui ont une influence sur le cours de notre vie. Comprendre ses cycles, c'est comprendre ses besoins selon le moment du cycle, c'est accepter les changements d'humeur sur lesquels nous n'avons pas de pouvoir (et qui font partie de nous !), et les fluctuations de l'énergie. Ne pas être au top en permanence n'est pas une faiblesse, au contraire : un cycle permet de se ressourcer pour revenir plus forte ! Finalement, comprendre le fonctionnement de notre cycle menstruel, c'est découvrir la puissance de notre corps de femme, c'est entrer en connexion avec notre moi profond et s'approcher de notre féminin sacré !

Women & rituels

Les femmes et les rituels, c'est une longue histoire ! Notre nature cyclique nous destine naturellement à pratiquer des rituels liés à notre cycle, et aussi parfois à la lune, dont on dit traditionnellement qu'elle est notre double, en raison de son cycle à 4 phases et de sa durée (29 jours !). Les rituels liés aux règles et à la lune sont aujourd'hui beaucoup pratiqués par les influenceuses du féminin !

Les rituels de la période des règles (jours 1 à 6)

Les règles ne durent pas forcément 6 jours, elles varient selon les femmes et selon le moment de la vie (fatigue, âge, tensions émotionnelles). C'est une phase pendant laquelle nous nous sentons généralement faibles et où nous avons envie (et besoin) de nous replier sur nous-mêmes pour écouter notre corps et notre intuition, mais aussi pour nous reposer. Cette période peut être synonyme de douleurs plus ou moins importantes au niveau du bas-ventre et du bas du dos.
Voici 3 rituels que vous pourrez réaliser durant cette phase du cycle : un rituel pour apaiser délicatement les douleurs de votre corps, un rituel slow moon pour prendre une pause et accueillir ce temps de règles comme il se doit et un rituel slow body pour faire peau neuve.

Mon rituel yoga lunaire antidouleur

Le yoga est une excellente solution pour accueillir les règles et soulager le corps d'éventuelles douleurs (mal au bas du dos ou au ventre, jambes lourdes) en libérant le bassin, en assouplissant les hanches et en créant une détente du bas du ventre et du bas du dos. Installez-vous en tailleur. Posez votre main sur le bas de votre ventre et commencez un cycle d'inspirations et d'expirations en pleine conscience, en expirant symboliquement par le bas de votre ventre.

Le papillon couché

Couchez-vous sur le dos, les plantes des pieds jointes. Posez les mains sur le bas de votre ventre et démarrez de profondes inspirations et expirations. À l'inspiration, visualisez l'air comme un fluide se faufilant dans tous les recoins de votre corps et entraînant avec lui les tensions et les douleurs. À l'expiration, visualisez ce fluide sortant de votre corps.

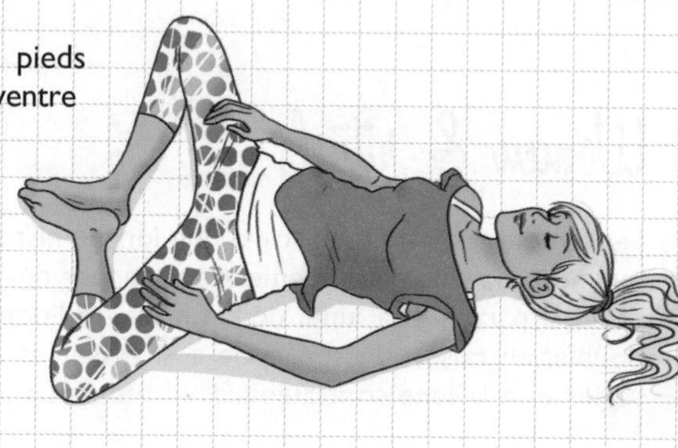

La torsion allongée

Rassemblez vos genoux au-dessus de votre abdomen, et placez vos bras de part et d'autre de votre corps (formant un T). Basculez vos genoux d'un côté jusqu'au sol et tournez la tête du côté opposé. Chaque inspiration continue à faire place nette pour accueillir la nouveauté du nouveau mois qui arrive.

La charrue

Restez sur le dos et levez vos jambes bien droites au-dessus de votre abdomen. Étirez-vous doucement, puis lancez vos jambes vers l'arrière comme pour amorcer une roulade. Lorsque vos pieds touchent le sol derrière votre tête, venez soutenir le bas du dos avec vos mains. Si vous le sentez, reposez vos bras le long de votre corps.

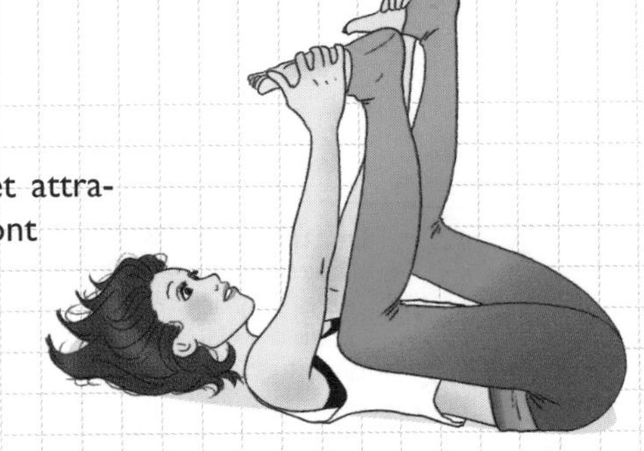

Le bébé heureux

Ramenez doucement vos jambes vers l'avant et attrapez vos chevilles avec vos mains (les jambes sont en ouverture type papillon), puis exercez des mouvements de rotation avec le bas de votre dos et vos fesses pour libérer les tensions dans cette zone.

Mon petit truc phyto antidouleur

Vos règles sont douloureuses ? Testez la formule suivante 2 fois par jour en massage sur votre bas-ventre (avant et après les règles) : 5 gouttes d'HE d'estragon (anti-spasmes) + 5 gouttes de sauge sclarée + 1 c. à c. d'huile végétale d'arnica.

Posez une bouillotte sur le ventre, la chaleur détend les tissus, apaisant la douleur.

Mon rituel slow moon

Pendant les périodes de règles, il est impératif d'écouter son corps, d'être attentive à son intuition et de ralentir pour se ressourcer, afin de repartir plus forte. Pour cela, vous pouvez réaliser un rituel slow moon, un temps de pause à répéter autant de fois que vous le souhaitez.

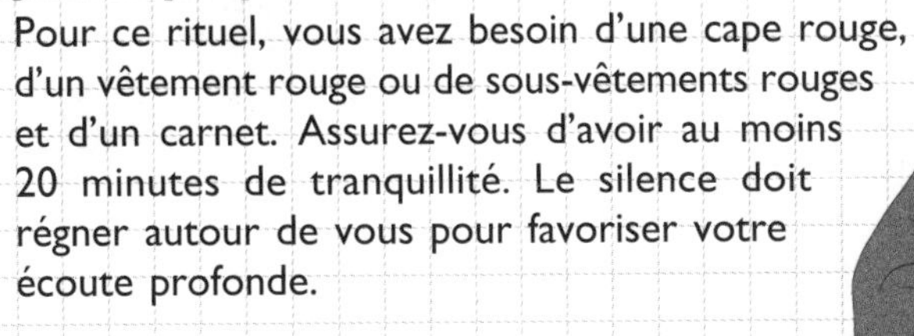

Je me prépare

Pour ce rituel, vous avez besoin d'une cape rouge, d'un vêtement rouge ou de sous-vêtements rouges et d'un carnet. Assurez-vous d'avoir au moins 20 minutes de tranquillité. Le silence doit régner autour de vous pour favoriser votre écoute profonde.

Les tentes rouges
Réaliser ce rituel avec un vêtement rouge fait référence au mouvement des tentes rouges. Les tentes rouges désignaient autrefois un lieu sacré dans lequel les femmes (au Moyen-Orient ou encore en Amérique latine) se rejoignaient lors de leur cycle menstruel ou lors d'événements féminins majeurs (premières règles, grossesse, accouchement...) afin de célébrer l'événement et de créer une énergie positive et féminine porteuse. Aujourd'hui, les tentes rouges sont de retour. Ce sont des cercles de femmes qui se réunissent, dans un mouvement de sororité bienveillante, pour communiquer ensemble, passer un moment de bien-être et de respect. Ça existe un peu partout en France, renseignez-vous!

C'est parti!

Installez-vous confortablement dans un endroit chaud où vous vous sentez en confiance, et enfilez lentement votre vêtement rouge. Fermez les yeux et prenez le temps d'effectuer plusieurs respirations profondes. Combien? Tant que vous le souhaitez, écoutez votre corps, fiez-vous à votre intuition et soyez sensible à vos besoins.
Une fois votre corps et votre esprit apaisés, vous pouvez démarrer le travail d'écriture. Les règles consistent en une détox de l'utérus. De même, détoxifiez-vous des pensées et des émotions du cycle passé et lâchez prise!

- *Quels événements je laisse définitivement au passé?*

....

....

- *Quelles émotions j'ai ressenties le cycle précédent et je décide de lâcher?*

....

....

Mon rituel slow body

En fin de période, vous pouvez réaliser ce bain purificateur qui complète parfaitement le rituel slow moon et vous permet de vous débarrasser de vos peaux mortes (au sens strict) et de vos blessures ou émotions négatives qui appartiennent au cycle précédent.

Mon bain purificateur à l'argile

Faites-vous couler un bain chaud et allumez quelques bougies. Les flammes des bougies créent une ambiance chaleureuse propice à l'introspection. Puis, déshabillez-vous lentement devant votre miroir en observant attentivement votre corps de femme sauvage en devenir. Enduisez tendrement votre corps d'argile verte, de la tête aux pieds. Réalisez chaque geste en conscience, libérez votre esprit des pensées parasites qui surviennent en prenant le temps de vous concentrer sur votre respiration. Glissez-vous ensuite délicatement dans votre bain et laissez doucement partir l'argile. Visualisez vos émotions négatives du cycle précédent en train de se dissoudre dans l'eau chaude. Une fois toute l'argile disparue, votre corps a fait peau neuve et votre esprit aussi !

Les rituels du début de cycle (jours 7 à 14)

Le corps s'est libéré d'un poids (les couches supérieures de votre utérus !), il repart plus léger et régénéré. Il est aussi dans la phase créatrice d'un nouvel ovule, plein d'hormones dynamisantes, d'où la sensation d'être gonflée d'énergie. C'est LA période pour lancer des projets, entamer des challenges et partir dans l'exploration de vos rêves les plus fous !

Mon rituel renaissance : j'écris mes intentions pour le cycle à venir

Pour préparer cette période comme il se doit, rien de tel que d'annoncer clairement vos intentions ! Le fait de formuler votre intention envoie un message positif à votre cerveau et sollicite la loi d'attraction pour améliorer votre vie ! Vous n'êtes pas obligée de vous lancer dans un grand projet, des intentions simples font tout à fait l'affaire : prendre du temps pour soi en profitant de la nature environnante, cuisiner de nouvelles recettes saines et goûteuses, chouchouter son couple avec de petites attentions.
Pour poser une intention, suivez la trame page suivante ou pratiquez l'écriture libre en écoutant votre intuition.

- *Quel est mon état d'esprit pour ce nouveau cycle?*

....

....

- *Quelles sont mes envies?*

....

....

- *Sur quoi je reste focus?*

....

....

- *Quels sont mes 3 objectifs du mois?*

....

....

- *Quelles petites actions je vais réaliser pour atteindre mes objectifs?*

....

....

- *Quels rituels je vais mettre en place pour prendre soin de moi?*

....

....

Mon rituel new life

La méthode DROP est une technique d'aide à la réalisation d'objectifs. C'est un véritable soutien psychologique et organisationnel qui vous permet de savoir où vous allez, comment atteindre vos objectifs et surtout comment surmonter les embûches que vous pourriez rencontrer en chemin (il y en a toujours!). DROP est un acronyme reprenant 4 questions sur lesquelles vous allez vous appuyer pour atteindre vos objectifs :

- **D pour désirs** : quels sont mes désirs, mes envies, mes rêves?
- **R pour résultats attendus** : quels sont les résultats escomptés si je réalise mes désirs, à quoi je m'attends?
- **O pour obstacles** : quels sont les obstacles que je risque de rencontrer en chemin et comment je peux les surmonter?
- **P pour plan** : quel est mon plan d'action? Quelles sont toutes les petites tâches que je vais devoir réaliser pour atteindre mon objectif, concrétiser mes désirs et obtenir les résultats que j'attends? (Soyez précise!)

Relisez donc vos intentions et déterminez quel sera votre objectif principal pour la suite du cycle, puis déclinez le DROP!

Mon objectif du mois :

....

....

Mes désirs vis-à-vis de cet objectif :

....

....

Les résultats que j'attends :

....

....

Les obstacles potentiels (et comment les surmonter) :

....

....

Mon plan pour aller jusqu'au bout :

....

....

Vous aviez envie de démarrer une activité sportive ? C'est le meilleur moment pour le faire ! Lancez-vous !

Mon rituel healthy food

Les bonnes résolutions alimentaires ont souvent du mal à tenir sur la durée… On prévoit des menus équilibrés, on remplace la tarte au chocolat par un fruit à 4 heures… puis la motivation s'émousse et on reprend ses travers alimentaires ! En début de cycle, vous êtes bourrée d'énergie, c'est le moment idéal pour faire le point sur votre alimentation et anticiper sur les périodes de down !

Pour cela, rien de plus simple : vous allez profiter de votre motivation sans faille pour établir un plan d'attaque healthy food. Créez une liste ultra complète de recettes à tester dans les semaines à venir : la recette, les ingrédients, le temps de préparation et les difficultés (réservez les recettes les plus simples pour les moments plus fatigants de votre cycle), ainsi que le meal prep (ce que vous allez pouvoir préparer en avance pour gagner du temps).

Pour vous aider, utilisez ce modèle d'organisation et reproduisez-le dans un carnet spécial healthy food ou votre Bullet journal®.

Recette : tarte aux légumes du soleil

La pâte à tarte

Sortez le beurre du frigo à l'avance pour qu'il soit mou. Mélangez les ingrédients secs, ajoutez le beurre et pétrissez jusqu'à former une pâte souple. Ajoutez un peu d'eau et le jaune d'œuf et finissez de pétrir. Faites précuire la pâte 15 min au four à 180 °C (th. 6).

La garniture

Faites précuire les légumes coupés en dés à la poêle. Ajoutez la moutarde, puis versez dans le moule, parsemez de parmesan. Enfournez pour 20 min à 180 °C.

Temps de préparation et difficulté

– 30 min
– facile

Liste de courses

– 130 g de beurre
– 250 g de farine
– 1 œuf
– 2 poivrons
– 2 oignons
– 1 belle aubergine
– 1 courgette
– 1 c. à s. de moutarde
– parmesan râpé

Meal prep du week-end

– Nettoyer tous les légumes.
– Découper oignon, poivrons, aubergine et courgette.

Les rituels de la période d'ovulation (jours 15 à 22)

Au niveau physiologique, cette période correspond à la migration de l'ovule vers l'utérus. C'est la période pendant laquelle le risque de grossesse est le plus important, et vous ressentez alors le besoin de vous tourner vers les autres (en lien avec le côté maternel !), de vous exprimer et de profiter de la vie. Vous êtes au summum de votre forme, vous rayonnez de féminité.

Mon rituel du lien sacré

Le rituel des ficelles a pour vocation de vous connecter avec votre féminin sacré en vous permettant d'entrer symboliquement en lien avec toutes les femmes de votre lignée. Parce que notre patrimoine génétique a une forte influence sur notre façon d'être femme, parce que le féminin sacré de notre mère, de nos grands-mères et arrière-grands-mères persiste en nous, il est important de maintenir ce lien sacré avec les femmes de notre lignée.

Je me prépare

Procurez-vous plusieurs bouts de ficelle. L'idéal est de prendre plusieurs couleurs pour symboliser les différentes femmes de votre famille. Découpez 3, 4, 5… ou 10 bouts de ficelles (d'une longueur suffisante pour faire 1,5 fois le tour de votre cou), représentant autant de femmes proches ou éloignées, si vous souhaitez remonter loin dans votre lignée.
Allumez une bougie et installez-vous dans un coin confortable de votre maison ou appartement. Posez clairement l'intention de votre rituel : « Je réalise ce rituel pour me connecter à ma lignée de femme et me rapprocher de mon féminin sacré. » Rassemblez vos cordons et reliez-les ensemble. N'oubliez pas la ficelle qui vous symbolise pour fermer la boucle des cordons. Vous vous retrouvez alors avec une sorte de grand collier. Placez-le autour de votre cou, fermez les yeux et prenez le temps de sentir la connexion qui se produit en vous.

J'explore ma sexualité sacrée

Vous êtes dans votre période d'ovulation… vos hormones sont au top de leur forme et vos envies aussi ! C'est le bon moment pour un rituel tantrique !

Le tantra est une doctrine indienne issue de l'hindouisme et du bouddhisme notamment. Elle consiste en la pratique de rites divers, et notamment sexuels. Pour le tantra, il n'est plus seulement question d'orgasme lié à nos organes génitaux, mais d'être en pleine conscience. D'être hyper connectée à son corps, dans le présent, pour profiter pleinement de l'intensité d'un moment à deux. En fait, faire l'amour n'est même pas obligatoire ! Il s'agit juste d'être bien ensemble !

Hello tantra!

Ça vous tente ? Testez ce rituel tantrique version soft pour débuter :

1. Avec votre amoureux, assis en tailleur face à face, fermez les yeux quelques minutes. Prenez de profondes respirations, puis ouvrez les yeux afin de contempler vos corps, comme des objets d'une extrême beauté. Pratiquez la pleine conscience en vous ouvrant à tous vos sens et en restant bien présents.
2. Pratiquez le eye contact quelques minutes tout en synchronisant vos respirations. L'objectif est d'initier une harmonie entre vous.
3. Une fois le corps apaisé et prêt à entrer en contact avec l'autre, réalisez un massage au toucher immobile (posez les mains pendant quelques secondes et sentez l'énergie, puis déplacez vos mains sur une autre partie du corps) ou par effleurage (touchez du bout des doigts le corps de votre partenaire). En pleine conscience toujours ! Concentrez-vous sur vos sensations tactiles. Si vous souhaitez doubler le plaisir, réalisez ce massage en utilisant de l'huile essentielle d'ylang-ylang diluée dans une huile végétale (1 goutte d'HE pour 4 gouttes d'HV).
4. Si vous avez envie, continuez le rituel en mode slow sexe, toujours en pleine conscience, en prenant le temps de savourer chaque instant (exit, le mode performance !).

Les rituels prémenstruels (jours 23 à 28)

Cette phase qui précède les règles peut être chaotique pour certaines femmes. Maux de tête, seins lourds et douloureux, insomnies, mais aussi doutes, agitation, moral dans les chaussettes et fluctuations émotionnelles sont parfois durs à vivre. C'est le temps des rituels apaisants !

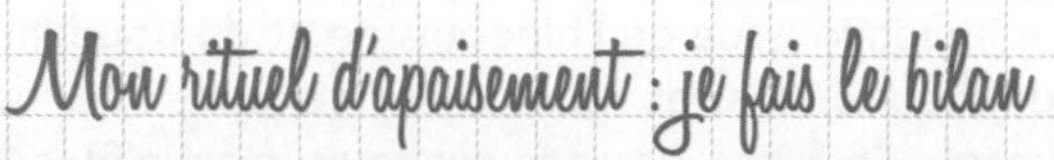

Mon rituel d'apaisement : je fais le bilan

Cette période correspond au ralentissement et à un retour progressif vers soi, avant d'aboutir à la période introspective et vraiment solitaire des règles. Cette transition entre le besoin d'extérieur, d'expression envers les autres et le besoin de se recentrer est la période idéale pour faire le point sur soi.

- *Comment s'est passé mon cycle globalement ?*

....

....

....

....

- *Quelles leçons j'ai apprises sur moi, sur mes émotions, mon corps et mon féminin sacré ?*

....

....

....

....

- *De quelles réussites j'ai envie de parler ?*

....

....

....

....

- *Quels obstacles j'ai rencontrés dans la quête de mon féminin sacré ?*

....

....

....

....

Chapitre 7

Mon programme 1 an de rituel power

Notre quotidien est fondé sur des cycles que nous suivons assez naturellement : veille-sommeil, jeun-alimentation, cycles menstruels. Mais il existe aussi un cycle sur un temps bien plus long et que l'on néglige souvent dans l'organisation de notre vie et notre développement personnel : le cycle des saisons ! Il passe un peu inaperçu et, pourtant, chaque saison propose une énergie particulière. En apprenant à comprendre chaque saison, à observer son influence sur notre quotidien, nous pouvons reprendre le contrôle de notre vie et optimiser notre bien-être grâce à des rituels adaptés. Rien de mieux pour trouver l'équilibre !

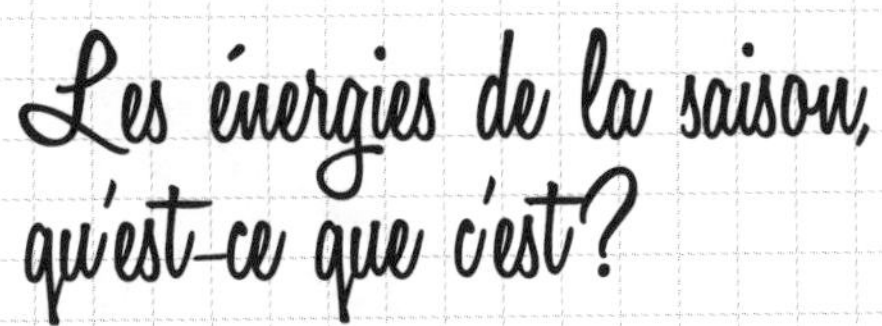

Les énergies de la saison, qu'est-ce que c'est ?

Comprendre l'énergie de la saison, c'est comprendre quelle influence la saison va avoir sur notre corps et notre mental. Comme le cycle menstruel, les saisons correspondent à une période de repli sur soi (hiver), de renouveau (printemps), d'apogée (été) et de ralentissement (automne). On le remarque dans la nature et dans le comportement des végétaux et des animaux, mais aussi en nous, car le soleil influence notre horloge biologique et notre énergie. Vivre en harmonie avec ce cycle nous permet d'avoir un temps de ressourcement et de repos et un temps d'énergie. Bref, de trouver un équilibre pour prendre soin de soi. Inutile d'aller à contre-courant de l'énergie de la saison, vous risqueriez de vous épuiser ! Faites confiance à la nature pour vous guider naturellement vers ce qui est bon pour vous !

À chaque saison, un rituel pour vous connecter à l'énergie saisonnière, un rituel pour cocooner votre corps, un rituel pour booster votre esprit et un rituel lifestyle : une routine complète pour un bien-être total !

Mes rituels de printemps

Le printemps est la saison du renouveau. En médecine chinoise, il se déroule du mois de février au mois d'avril. Cette saison correspond à un lent réveil après la phase de repos total de l'hiver. Dans la nature, les plantes sortent de terre et la sève monte dans les arbres ; chez les hommes également, un mouvement ascendant s'enclenche (montée du yang, descente du yin) : le besoin de sortir de son cocon, de faire le ménage dans sa vie, d'initier de nouveaux projets ou des rêves latents !
Accueillir la saison, c'est se laisser porter par l'énergie naturelle mais aussi savoir préparer son arrivée et prendre soin de soi en toute occasion. L'idée-clé du printemps : poser ses intentions et se préparer au lancement de ses projets.

Hello printemps !

J'admire la nature

Le printemps est le moment idéal pour planter. Dans son jardin en pleine terre ou dans un pot, peu importe ! L'idée est de se connecter à la nature en toutes occasions : choisissez une plante qui vous attire, touchez la terre avec vos mains, plantez délicatement votre plante, arrosez-la avec justesse et observez tous les jours son évolution, les petites pousses qui deviennent feuilles, fleurs ou fruits. Le jardinage (même à petite échelle) est un vrai antistress, ne vous en privez pas !

Le top 10 des plantes tendance

- les cactus
- les succulentes
- la « chaîne des cœurs », *Ceropegia woodii*
- le pilea
- le sansevieria
- le séneçon de Rowley
- le philodendron, *Monstera deliciosa*
- le caoutchouc, *Ficus elastica*
- l'eucalyptus
- l'oxalis triangulaire

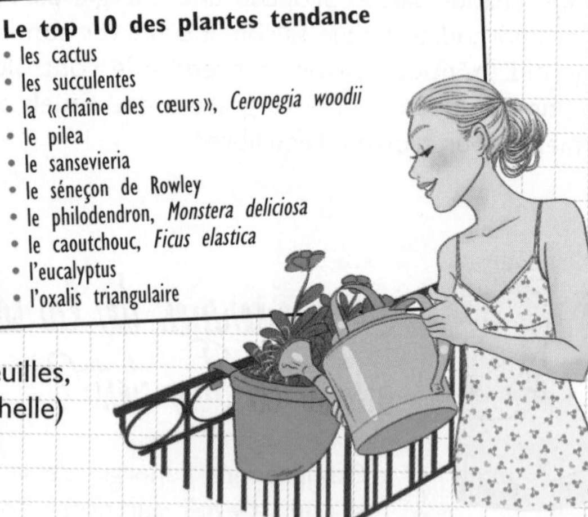

Je mange de saison

Selon la médecine chinoise, les fruits et légumes de saison nous apportent les bienfaits dont nous avons besoin à cette période-là. Et comme les fruits et légumes de chaque saison offrent des nutriments différents, une année entière nous donne tout ce dont nous avons besoin. Prévoyez de manger un maximum de repas avec des produits de saison (un minimum de 3 par semaine est un bon rythme à observer) : carotte, asperge, betterave, chou-fleur, chou de Bruxelles, céleri, navet, petits pois, laitue, oignon, poireau, radis, citron, orange, poire, kiwi, pamplemousse.

Je purifie mon corps

Le foie est un organe primordial du corps, c'est par lui que passe notre sang pour être nettoyé de ses impuretés. Pour la médecine chinoise, il revêt une importance capitale et nécessite les plus grands soins, notamment au printemps. C'est pourquoi il est conseillé de réaliser une détoxification du foie durant cette saison.

Détox
Pour se purifier, le corps a besoin d'éliminer les toxines qui proviennent de l'intérieur (déchets des aliments, usures des tissus internes) et de l'extérieur (divers polluants). Pour cela, il utilise des organes qui drainent les déchets afin de les évacuer, les émonctoires : le foie, les intestins, les reins, la peau et les poumons. À certains moments de l'année, notamment au printemps, certains émonctoires sont en surcharge et ont besoin d'un coup de pouce pour se détoxifier.

Ma tisane détox

Réalisez le mélange de plantes séchées suivant :

- romarin : 15 %
- serpolet : 15 %
- artichaut : 15 %
- aubier de tilleul : 15 %
- bourdaine : 10 %
- boldo : 10 %
- chicorée : 10 %
- achillée millefeuille : 5 %
- curcuma : 5 %

Mettez 1 c. à s. de ce mélange par tasse d'eau, faites frémir 5 min et laissez infuser la nuit. Buvez un bol le matin et un bol le soir.

Ma cure de sève de bouleau

Cette cure s'effectue toujours au printemps, au moment où la sève remonte dans l'arbre. La sève du bouleau est pleine de minéraux, de vitamines et d'oligoéléments. Ses propriétés en font un bon draineur des toxines.
Pour cela, buvez un petit verre tous les matins, à jeun, et un autre verre dans la journée (éloignés des repas) et ceci pendant 21 jours !

Attention cependant, la cure de bouleau n'est pas faite pour tout le monde ! Elle demande beaucoup d'énergie, elle est donc à proscrire si vous sortez d'une maladie qui a affaibli votre organisme. La cure n'est pas adaptée aux femmes enceintes ou allaitantes. Pour plus de précisions, consultez un médecin ou un naturopathe.

Je fais le grand ménage de printemps

Profitez du renouveau de cette saison pour faire un grand tri et du rangement chez vous ! Vous aborderez ce moment de l'année l'esprit plus léger. Si vous avez besoin d'un soutien, optez pour la populaire méthode KonMari, qui consiste à effectuer un tri drastique par type d'objet.

La méthode

L'ordre de tri est le suivant : les vêtements, les livres, les papiers, les objets divers, puis les choses à valeur sentimentale (à la fin car ce sont les plus difficiles à trier !).

1. Pour que ce tri soit efficace, vous devez rassembler tous les objets d'un même type (je dis bien tous, partez à la chasse dans toute votre maison !). S'il s'agit des vêtements, par exemple, réunissez au même endroit ceux qui sont dans votre placard, ceux qui sont dans la panière de linge sale, ceux que vous devez apporter chez la couturière, ceux qui sont rangés car réservés à certaines occasions… tout, tout, tout !
2. Une fois tout rassemblé, demandez-vous, pour chacun, s'il vous met en joie, s'il vous apporte du plaisir (et accessoirement si vous l'avez porté dans les 6 derniers mois…). Si la réponse est non, c'est généralement mauvais signe !

En optant pour le minimalisme dans votre cocon, l'énergie du printemps se décuple, votre esprit est en mode détox et vous vous sentez beaucoup plus légère !

Je redonne de l'énergie à mon esprit

Vous avez trié votre maison ? Vous avez planté de belles fleurs sur votre balcon ? Parfait ! Il ne reste plus qu'à booster votre esprit ! Le printemps vous apporte l'énergie pour vous lancer dans des projets nouveaux ou pour relancer ceux en stand-by durant l'hiver. C'est le moment parfait pour créer (ou mettre à jour !) votre bucket list.

Je fais ma bucket list

La bucket list est une liste des choses/actions que vous rêvez de réaliser. Il peut s'agir de petites actions faciles à accomplir ou de grands rêves que vous allez construire petit à petit avec le temps. Pourquoi la bucket list est un boosteur d'esprit ? Parce qu'en écrivant vos rêves les plus fous, vous faites le premier pas vers leur réalisation !

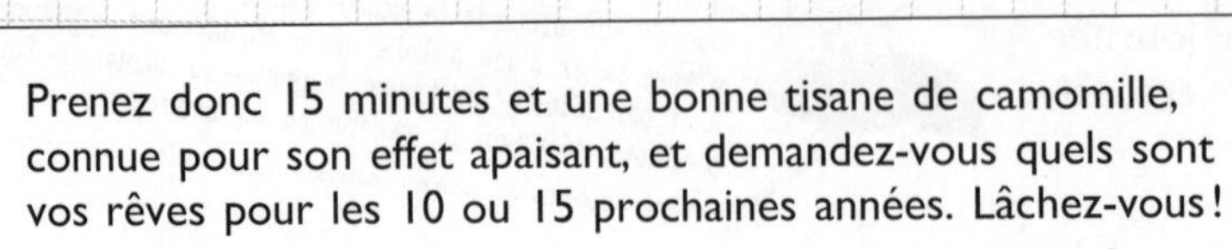

Le printemps, c'est le renouveau, profitez-en pour explorer de nouvelles pistes de bien-être !

Je m'inscris à une retraite méditative

Les retraites méditatives sont de plus en plus courantes. Plusieurs possibilités s'offrent à vous : retraite courte (un à plusieurs jours), longue (une à plusieurs semaines), retraite totalement ou partiellement silencieuse, type de méditation (vipassana, zazen, kundalini…). Commencez tout doux pour voir comment vous vivez la retraite !

Je crée un tableau de visualisation

Le tableau de visualisation est un tableau 100 % personnalisé que vous créez en y collant vos aspirations, vos rêves, vos envies. Piochez des images inspirantes dans vos magazines favoris ou sur Internet, écrivez des mots-clés et rassemblez le tout sur un tableau ou une grande feuille de papier cartonné. N'oubliez pas, c'est no limit ! Ne vous freinez pas avec des croyances limitantes ! Ce tableau, en plus de vous offrir un beau moment de flow pendant sa création et de vous rendre heureuse quand vous le regardez, va vous inspirer pour vous lancer dans vos projets.

Mes rituels d'été

Selon la médecine traditionnelle chinoise, l'été va de mi-mai à fin juillet. C'est une saison pendant laquelle on fait généralement le plein : le plein de soleil, le plein de lumière, le plein de fruits et légumes variés, le plein de sorties, de randonnées, de soirées tardives. C'est aussi la saison de l'aboutissement, après avoir semé vos graines durant le printemps. C'est donc une saison riche en émotions et en actions. Durant l'été, la chaleur prédomine (et c'est d'ailleurs la saison de l'élément feu en médecine chinoise), c'est aussi la saison de la fraîcheur que l'on recherche avec l'eau, les coins d'ombre et les aliments froids. L'idée principale en été : la tempérance !

Les objectifs des rituels d'été

Les rituels d'été ont pour objectif de profiter de l'énergie de cette saison chaude pour aller au bout de vos projets, en donnant un maximum d'amour et de tendresse autour de vous, mais sans oublier de tempérer pour éviter la surchauffe !

Je célèbre l'arrivée de l'été

J'organise un pique-nique

Pour célébrer l'arrivée de l'été, rien de mieux que de s'immerger dans un lieu naturel (forêt, plage, champs) en y déposant une nappe en tissu naturel (lin, chanvre, coton) et des aliments de saison. L'idéal est même de cueillir ou de ramasser (ou pêcher !) les aliments en question. À ce merveilleux pique-nique, conviez les personnes qui vous sont chères (familles et amis) pour cultiver le plaisir d'être ensemble. Si vous le souhaitez, remerciez la nature pour ces cadeaux qu'elle vous offre. Une sorte de petit rituel païen et convivial !

Je prends soin de mon corps

Parce que l'été est une saison bourrée d'énergie, nous vivons à cent à l'heure, nous prenons des bains de soleil qui font un bien fou et, selon la médecine traditionnelle chinoise, nous sollicitons au maximum notre cœur et notre intestin grêle. Stop ! Il faut profiter certes, mais prenez le temps de vous chouchouter aussi !

Je prends soin des méridiens de l'intestin grêle et du cœur

En médecine traditionnelle chinoise, l'été est associé aux organes du cœur (yin) et de l'intestin grêle (yang). C'est donc le parfait moment pour en prendre soin ! Comment ? Optez pour un étirement qui permet d'harmoniser la circulation de l'énergie dans les méridiens (ces canaux énergétiques) en les stimulant.

Let's go !

Asseyez-vous au sol, les plantes des pieds jointes. Approchez le plus possible vos talons de votre pubis. Vos mains attrapent vos pieds et vos coudes sont à l'extérieur du losange dessiné par vos jambes. À l'expiration, descendez au maximum vos coudes vers le sol, puis remontez-les à l'inspiration. Réalisez cet étirement 5 ou 6 fois de suite, au moins 3 fois par semaine.

Je chouchoute ma peau

S'il y a bien une partie de notre corps qui peut souffrir pendant l'été, c'est bien la peau ! Après avoir pris une bonne dose de soleil, la peau a besoin que l'on s'occupe d'elle avant d'être agressée par le vent et la fraîcheur des saisons froides. Procurez-vous une brosse de massage à sec (poils de sanglier ou fibres naturelles) et effectuez des mouvements brefs de bas en haut en partant des pieds jusqu'au cœur, puis des doigts jusqu'au cœur. Le brossage à sec active le système lymphatique pour limiter la cellulite, détoxifie votre peau et la rend plus douce en la débarrassant des peaux mortes.

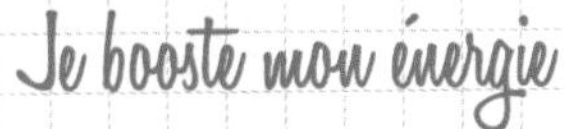

En été, on a envie de donner de l'amour ! Pour amplifier ce sentiment d'amour et lui conférer un versant universel, pourquoi ne pas réaliser des tree hug ?

Je fais des tree hugs

Une marche consciente en forêt a de réels bénéfices (voir p. 64), mais faire un câlin à un arbre augmente encore le potentiel healthy de cette pratique ! Promenez-vous en forêt et prenez le temps d'observer les arbres autour de vous. Laissez-vous guider par votre intuition, choisissez l'arbre qui vous inspire et enroulez vos bras autour de lui. Prenez plusieurs inspirations et expirations profondes. Concentrez-vous sur vos sensations, sur vos 5 sens. Plus le câlin dure longtemps, plus les bénéfices sont grands ! On dit même que l'on peut puiser l'énergie de l'arbre. En tout cas, vous aurez déjà fait une pause de pleine conscience, et ça vous apportera de la sérénité en cette saison un peu excessive.

Dans la nature, l'automne correspond au début de l'endormissement de la vie animale et végétale. De notre côté, c'est le signe du ralentissement. On revient à l'essentiel et on se met en mode slow life. En médecine chinoise, on dit que l'automne correspond à la descente de l'énergie yang (l'énergie qui va du centre vers l'extérieur) et à la montée de l'énergie yin (l'énergie qui va de l'extérieur à l'intérieur).
C'est une saison qui est souvent mal vécue et, pourtant, en mettant en place des rituels adaptés, il se pourrait bien que vous passiez un automne aussi réjouissant que votre printemps : slow life apaisante, détox bienfaisante, repos mental. Il est d'autant plus important de passer un automne agréable qu'il va conditionner notre hiver. Alors, on ne lâche rien !

Les objectifs des rituels d'automne

Les rituels d'automne ont pour vocation de capitaliser l'énergie accumulée durant l'été. C'est une saison de transition qui a aussi pour but de préparer votre corps (réserve, détox) et votre esprit (démarrage de l'introspection) à l'hiver. Vous allez passer un automne feel good !

Je célèbre l'arrivée de l'automne

Je crée mon autel d'automne

Réaliser un autel célébrant l'automne est l'occasion de faire preuve de gratitude et de démarrer le travail d'introspection qui se poursuivra tout au long de l'hiver. Ce lieu va constituer un lieu de ressourcement et de bien-être.

Let's go !

Fermez les yeux et visualisez tout ce qui vous évoque cette saison si particulière : ses couleurs (orange, jaune, rouge), son ciel si spécifique avec ses couchers de soleil à couper le souffle, ses symboles (les feuilles mortes, les châtaignes et leur bogue sur le sol, les citrouilles, Halloween). Donnez libre cours à votre créativité et même à votre imagination (quoi ? vous ne les voyez pas, les petits lutins qui se promènent dans la forêt pour faire leur récolte d'hiver ?).

Une fois votre liste réalisée, partez à la chasse : dans les forêts, les champs, les magazines (pour des photos qui vous évoquent l'automne) ou les magasins (pour les objets) ! Rassemblez vos trésors dans un coin dédié de votre intérieur, votre balcon ou votre jardin. Chaque semaine, prenez le temps de venir vous relaxer devant votre autel, vous rappeler la douceur de cette saison et l'énergie qu'elle appelle : ralentir, retourner à l'essentiel, entrer doucement en introspection.

L'automne, ça m'évoque :

1. ....
2. ....
3. ....
4. ....
5. ....
6. ....
7. ....

Je fais du bien à mon corps

Je pratique une monodiète détoxifiante

Tout comme le printemps, l'automne est propice à la détox du corps pour le préparer à l'hiver. Avez-vous déjà entendu parler de la monodiète de raisin ? Elle nettoie les intestins, draine les reins et le foie, donne un teint de pêche et rebooste votre énergie !
L'idée ? Ne manger qu'un seul aliment, le raisin, pendant plusieurs jours. Préparez-vous quelques jours auparavant avec une cuisine végétarienne et plutôt légère. J – 3 : supprimez les viandes, J – 2 : supprimez les céréales. Et après la monodiète, réintroduisez les aliments de la même manière. Une cure de 3 à 5 jours est préconisée, mais commencez par la suivre une journée et observez les résultats ! Privilégiez le raisin bio, bien sûr, et n'hésitez pas à consommer aussi les pépins qui sont riches en nutriments !

Attention, cette monodiète n'est pas adaptée à toutes. Elle ne convient pas notamment aux personnes diabétiques ou ayant des difficultés à digérer le sucre. Consultez votre naturopathe.

J'étire mes poumons et le gros intestin

En médecine traditionnelle chinoise, l'automne est associé aux poumons et au gros intestin. Pour favoriser la circulation de l'énergie dans les méridiens correspondant, réalisez les étirements suivants. Debout, les jambes écartées de la largeur des hanches. Passez vos mains derrière votre dos et croisez vos pouces. Penchez-vous en avant en basculant vos bras liés au-dessus de votre tête. Profitez des inspirations et expirations profondes pour aller plus loin dans la posture (les bras de plus en plus en arrière et la tête de plus en plus proche du sol). Si l'arrière de vos jambes tire trop, pliez légèrement les genoux. Surtout, respectez vos possibilités sans forcer !

Je fais des massages

En réflexologie plantaire, les zones des poumons et du gros intestin se situent sur les deux pieds. Massez les zones illustrées sur le schéma ci-contre en suivant le sens des flèches. Réalisez ces massages régulièrement durant tout l'automne (mais aussi si vous avez des problèmes de la sphère ORL ou si vous ressentez les premiers signes de déprime souvent associés à la période hivernale).

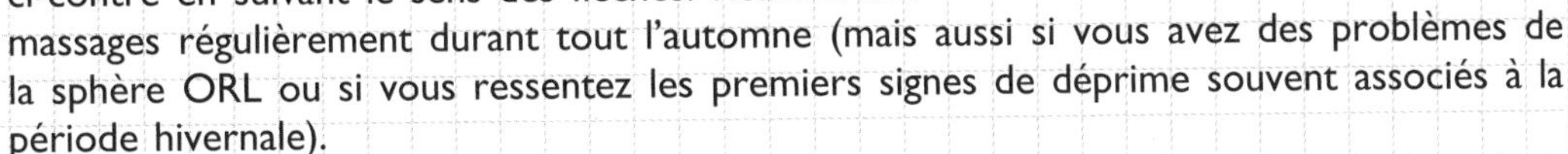

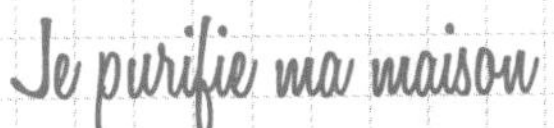

Je purifie ma maison

L'automne est la saison parfaite pour nettoyer et purifier votre intérieur, car vous allez y passer de plus en plus de temps.

Avec des feuilles de sauge

La sauge blanche amérindienne de Californie est couramment utilisée pour ce rituel de purification. Si vous l'achetez sous la forme d'un bâton de feuilles, n'oubliez pas de prévoir un réceptacle (pas en fer, vous risquez de vous brûler en le déplaçant !) résistant à la chaleur pour le déposer. Pour allumer votre bâton, laissez apparaître une petite flamme pendant quelques secondes, puis soufflez délicatement. Promenez-vous dans toutes les pièces de votre maison pour que la fumée purifie chaque recoin. Si vous souhaitez l'éteindre avant qu'il ne soit entièrement consumé, étouffez-le simplement.

Je prépare mon corps et mon esprit à l'arrivée de l'hiver

Je fais des conserves de produits lacto-fermentés

La lacto-fermentation est un procédé de conservation très ancien qui consiste à faire macérer des produits frais dans du sel ou de la saumure. L'acide lactique issu de la fermentation va inhiber le développement de bactéries. L'avantage, avec les aliments lacto-fermentés, c'est aussi que si la fermentation se passe mal, c'est immédiatement visible car les aliments ont une drôle de couleur, et l'odeur n'est pas du tout appétissante ! C'est un mode de préparation qui permet de conserver les vitamines et les éléments nutritifs des aliments, l'idéal pour profiter des bienfaits des fruits et légumes d'été et d'automne en plein cœur de l'hiver ! En plus, ce procédé permet le développement de bonnes bactéries très utiles (voire indispensables) pour notre organisme : les probiotiques (ces micro-organismes aident à une meilleure digestion et jouent un rôle au niveau du système immunitaire intestinal). Ça remplacera aisément les probiotiques en gélules !

Quels légumes utiliser ? Tous ou presque, sauf les pommes de terre !

DIY : conserves lacto-fermentées

Le matériel : des pots en verre avec joints parfaitement étanches et fermeture métallique, des aliments de qualité (bio !) et du gros sel marin sans additifs (c'est très important !).

1. Lavez soigneusement vos légumes, épluchez-les s'ils ne sont pas bio et râpez-les ou coupez-les en morceaux.
2. Préparez votre saumure. La proportion ? 30 g de sel pour 1 l d'eau (filtrée !), laissez le sel se dissoudre.
3. Remplissez votre bocal stérilisé avec vos légumes. Tassez bien, il doit rester le moins d'espace possible entre les légumes pour éviter les infiltrations d'air.
4. Recouvrez entièrement les légumes de saumure.
5. Fermez soigneusement le bocal et laissez reposer à température ambiante 7 jours.
6. C'est presque prêt ! Transférez au frigo ou dans une pièce fraîche de votre maison. Vous pourrez les consommer 15 jours plus tard (chauds ou froids !).

Je me fais du bien avec des listes bien-être !

Vous faites partie de la team morosité, déprime, manque de motivation en automne ? Préparez des listes bien-être pour dépasser cet état et vivre une saison plus harmonieuse !

- *Ma bucket list d'automne : ce que j'ai envie de réaliser pendant cette saison :*

....

....

....

....

- *Mes projets pour l'année qui arrive :*

....

....

....

....

- *Ma wish list : ce que j'ai envie d'acheter pour me faire plaisir :*

....

....

....

....

Mes rituels d'hiver

L'hiver est un moment de repos pour la nature. Les végétaux stoppent leur croissance, le temps est frais et pluvieux. C'est aussi une période de repos pour nous, le temps ralentit et laisse la place à l'introspection. On fait le bilan, on tire les conclusions de l'année qui vient de s'écouler pour pouvoir repartir sur des bases saines et efficaces l'année suivante !

Les 3 objectifs des rituels d'hiver

Les rituels d'hiver vont vous aider dans votre cheminement intérieur. Ils vont prendre soin de votre corps mais aussi apaiser votre esprit en cette saison dédiée à la patience et au travail sur soi.

Célébrer l'arrivée de l'hiver

Je me crée un autel d'hiver

Pour vous connecter totalement à l'esprit de l'hiver, réalisez un autel d'hiver ! Procurez-vous un sac étroit et faites une balade dans la nature (n'oubliez pas écharpe et gants pour ne pas attraper froid !). Ramassez des éléments naturels sur votre route. Ajoutez-y une plume si vous en trouvez une en chemin. De retour chez vous, installez-vous confortablement. Prenez quelques minutes pour effectuer une série d'inspirations et expirations profondes. Puis introduisez vos trésors dans le lieu choisi pour votre autel. Posez l'intention d'accueillir l'hiver comme une période nécessaire qui vous permettra de vous ressourcer. Au même titre que les plantes se reposent et que les animaux hibernent.

Je prépare une ambiance hygge pour l'arrivée de l'hiver

Faites le point sur l'ambiance de votre salon : les lumières sont-elles assez douces ? Évitez les lumières directes, préférez plusieurs sources lumineuses douces et chaudes. Les coins pour s'asseoir et se détendre sont-ils suffisamment cocooning ? N'hésitez pas à ajouter un ou deux coussins tout doux, un plaid dans lequel on rêve de se lover. Avez-vous de quoi vous faire une après-midi douceur ? Prévoyez chocolat chaud, cappuccino, tisanes détentes !

Je démarre la journée par une méditation sonore

En version bain de gongs !

Pour célébrer l'arrivée de cette saison propice au repos et à l'introspection, prévoyez des temps de méditation sonore (vous trouverez ça facilement sur YouTube) : gong, bol tibétain, bâton de pluie, kigonki (instrument à percussion très mélodieux)… La sonothérapie utilise les ondes sonores pour vous faire du bien ! Ces ondes entraînent un calme mental qui vous permet d'entrer dans un état méditatif. Votre intention pour ces méditations ?

Lâcher prise sur les conditions météorologiques, lâcher prise sur ce que vous ne pouvez pas contrôler, sur votre blues hivernal, faire preuve de gratitude pour cette saison qui permet de vous reposer et de vous recentrer sur vous-même et votre cercle de proches.

En version mantra

Le mantra («protection de l'esprit» en sanskrit) est une phrase que l'on répète à un rythme régulier pendant plusieurs minutes. On s'en sert habituellement dans un but spirituel, mais vous pouvez tout à fait répéter un mantra avec une intention d'ancrage et comme technique d'introspection. Les mantras, de par leur caractère répétitif, agissent comme une méditation qui vous vide l'esprit. Le son produit et leurs vibrations sollicitent nos sens et permettent de vivre le moment présent, de puiser à l'intérieur de soi, de s'apaiser et de lâcher prise.

Et pourquoi ne pas créer vos propres mantras? Choisissez une phrase courte faisant sens pour vous («je m'aime», «je suis lumière») et répétez-la en adoptant une sonorité particulière.

En pratique, prenez une grande inspiration, puis ouvrez la bouche en prononçant «OOOOOOOOO» d'une voix profonde et grave. Lorsque vous n'avez plus assez d'air pour garder la bouche ouverte, fermez-la pour prononcer le «MMMM». Poursuivez jusqu'à ce que vous n'ayez plus aucun souffle. Puis prenez une grande inspiration et expiration et recommencez autant de fois que vous le souhaitez.

Vous avez envie d'aller plus loin? Procurez-vous un mala, un collier de 108 perles qui aide le méditant à réciter ses mantras (108 fois!). Les malas sont devenus très tendance, on en trouve de très esthétiques, de vrais bijoux!

Je prends soin de mon corps

Je ralentis en pratiquant le yin yoga et je stimule reins et vessie

Le yin yoga est un yoga d'assouplissement et de méditation très doux, parfait pour la période hivernale où le repos est de mise. Un des principes-clés : tenir chaque posture plusieurs minutes. C'est un yoga «lent» qui permet de relâcher les tensions mentales. Il ne s'agit pas de performance ou d'effort musculaire intense, mais plutôt d'exploration des sensations de son corps et de lâcher-prise (notamment en cas de sensation d'inconfort!). Tenez chaque posture 3 à 5 minutes. Elles stimulent les méridiens du rein (l'organe de l'hiver en médecine chinoise!).

La fente

Installez-vous sur les genoux. Avancez le pied droit et posez-le à plat pour que votre jambe droite dessine un angle à 90 degrés. La jambe gauche est presque tendue, le tibia collé au sol. Puis inversez.

L'enfant

Installez-vous sur vos talons et basculez doucement en avant. Si cela vous est plus confortable, prenez un coussin dans les bras. Sinon, descendez votre poitrine sur vos genoux.

Le papillon sur le dos

Placez-vous au sol, sur le dos. Joignez les plantes de pieds, les genoux s'étalent sur les côtés comme les ailes d'un papillon.

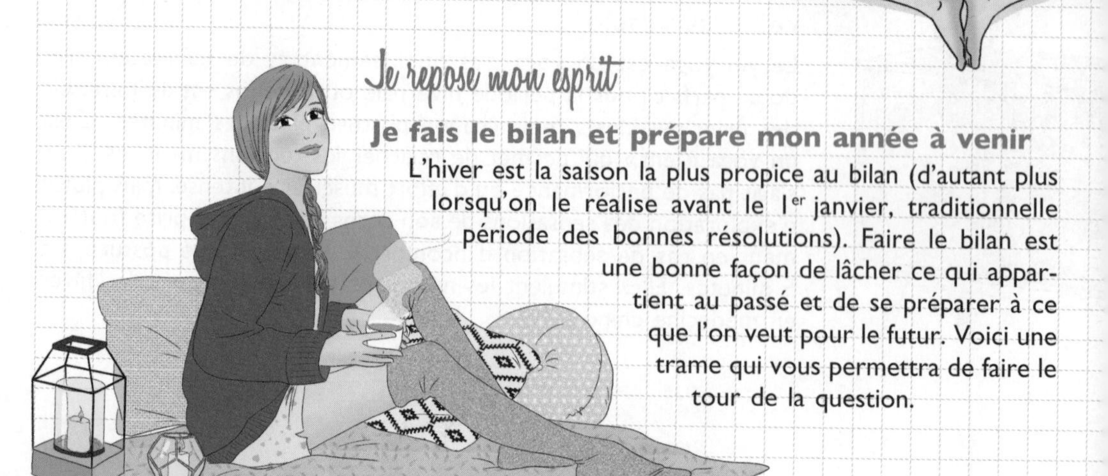

Je repose mon esprit

Je fais le bilan et prépare mon année à venir

L'hiver est la saison la plus propice au bilan (d'autant plus lorsqu'on le réalise avant le 1er janvier, traditionnelle période des bonnes résolutions). Faire le bilan est une bonne façon de lâcher ce qui appartient au passé et de se préparer à ce que l'on veut pour le futur. Voici une trame qui vous permettra de faire le tour de la question.

- *Qu'ai-je accompli cette année ?*

....

....

....

- *Quels sont mes plus beaux souvenirs ?*

....

....

....

- *Quelles leçons j'ai apprises ?*

....

....

....

- *Comment je peux m'améliorer pour l'année à venir ?*

....

....

....

- *Sur quoi je souhaite me concentrer dorénavant ?*

....

....

....

Carnet d'adresses

L'auteure

Mon blog : www.powapowa.fr. Je vous livre tous mes outils de développement personnel, mes bonnes idées et mes méthodes d'organisation, notamment le Bullet journal®.
Mon Instagram : @po_wa_po_wa

Bibliographie

Jocelyne Aubry et Ho-Han Chang, *Guérir par l'auto-massage Do-In,* Edi Inter, 2001.
Hal Elrod, *Miracle Morning,* First, 2017.
Danièle Festy, *Ma bible des huiles essentielles,* Leduc.s
Éloïse Figgé, *Mon cahier Ayurveda,* Solar, 2018.
Kelly McGonigal, *The Willpower Instinct,* Avery, 2013.
Darren Hardy, *L'Effet cumulé,* Success Books 2012.
Marie Kondo, *La Magie du rangement,* First, 2016.
Cécile Neuville, *Mon cahier Perfect timing,* Solar, 2017.
Elsa Punset, *Le Livre des petites révolutions*, Solar, 2017.
Arnaud Riou, *Les Nouveaux Sages*, Solar, 2017.
Swami Saradananda, *L'Art de la respiration,* Le courrier du livre, 2015.
David Servan-Schreiber, *Guérir le stress, l'anxiété et la dépression*, Pocket, 2011.
Florence Servan-Schreiber, *3 kifs par jour,* Marabout, 2014.
Camille Sfez, *La Puissance du féminin,* Leduc.s, 2018.

Remerciements

Je souhaite exprimer toute ma gratitude à ceux qui me font confiance au quotidien dans ma vie personnelle et professionnelle. Mais aussi à ceux qui me soutiennent et qui m'apportent leur aide précieuse. Mention spéciale pour Bouni sans qui rien ne serait possible.
Merci à Coralie Tafflet, du studio Nymphéa Yoga (à Sens), pour son expertise.

MON CAHIER MINCEUR
MON CAHIER MINCEUR
MON CAHIER MA GROSSESSE ET MOI
MON CAHIER MON BÉBÉ ET MOI
MON CAHIER VENTRE PLAT SPÉCIAL HOMMES
MON CAHIER VENTRE PLAT
MON CAHIER LA DRAGUE ET MOI
MON CAHIER LE SEXE ET MOI
MON CAHIER 100% ANTI-ÂGE
MON CAHIER DÉTOX
MON CAHIER YOGA
MON CAHIER RUNNING
MON CAHIER ABDOS-FESSIERS
MON CAHIER VEGGIE
MON CAHIER MON DRESSING IDÉAL
MON CAHIER BRÛLE-GRAISSE
MON CAHIER PENSÉE POSITIVE
MON CAHIER ANTI-STRESS
MON CAHIER FORME ET MINCEUR APRÈS BÉBÉ
MON CAHIER PILATES
MON CAHIER BEAUTÉ
MON CAHIER DIGITAL DÉTOX
MON CAHIER STOP AU SUCRE
MON CAHIER SANS GLUTEN
MON CAHIER FITNESS
MON CAHIER MINCIR AVEC LA MÉDECINE CHINOISE
MON CAHIER YOGA DÉTOX
MON CAHIER AQUAFITNESS
MON CAHIER GREEN DÉTOX
MON CAHIER BODY TRAINING
MON CAHIER RÉGIME TOUT CRU
MON CAHIER MÉDITATION
MON CAHIER HUILES ESSENTIELLES
MON CAHIER BOXE TRAINING
MON CAHIER MON CHAT & MOI
MON CAHIER RANGEMENT FEEL GOOD
MON CAHIER TRAIL RUNNING
MON CAHIER SOFT FITNESS
MON CAHIER BODY MINCEUR
MON CAHIER HAIR BEAUTY
MON CAHIER JOLIE PEAU
MON CAHIER FITNESS FOOD
MON CAHIER DANSE PILATES
MON CAHIER HYGGE HAPPY THÉRAPIE
MON CAHIER YOGA SCULPT
MON CAHIER TATOUAGE
MON CAHIER OBSTACLE TRAINING
MON CAHIER PERFECT TIMING
MON CAHIER SUPER ORGANISÉE
MON CAHIER MON BULLET AGENDA
MON CAHIER BULLET AGENDA
MON CAHIER MINCEUR HEALTHY
MON CAHIER MINCEUR ZÉRO SUCRE
MON CAHIER STOP SMOKING
MON CAHIER AYURVEDA
MON CAHIER DÉFI VOYAGE SOLO
MON CAHIER HIIT
MON CAHIER CRISTAL POWER
MON CAHIER MACADAM TRAINING
MON CAHIER OBJECTIF MINCEUR EN 12 SEMAINES
MON CAHIER MES 100 MODÈLES BULLET AGENDA
MON CAHIER BAIN DE FORÊT
MON CAHIER ATTITUDE BODY POSITIVE
MON CAHIER PILATES INTENSIF
MON CAHIER RITUEL POWER
MON CAHIER LUNE
MON CAHIER MASSAGE
MON CAHIER IKIGAI
MON CAHIER OBJECTIF MINCEUR EN 12 SEMAINES
MON CAHIER MARIAGE
MON CAHIER GREEN POWER
MON CAHIER SOPHRO
MON CAHIER OBJECTIF ZÉRO SUCRE EN 12 SEMAINES
MON CAHIER GAINAGE
MON CAHIER ZÉRO DÉCHET
MON CAHIER TAROT
MON CAHIER OBJECTIF BIKINI EN 12 SEMAINES
MON CAHIER FIT & GREEN
MON CAHIER CARDIO-PILATES
MON CAHIER HUILES ESSENTIELLES AU FÉMININ
MON CAHIER GOOD VIBES
MON CAHIER OBJECTIF BUDGET EN 12 SEMAINES
MON CAHIER OBJECTIF EN 12 SEMAINES
MON CAHIER 2020
MON CAHIER 2020

LES BEAUTIFUL GIRLS,
C'EST TOUTE UNE COMMUNAUTÉ !

Retrouvez plein de bonus, de conseils feel good,
des recettes, des trainings,
et des actus tendance MADE BY MON CAHIER !

Un lieu rien que pour vous :
http://mylifeisbeautiful.fr/

Une communauté de filles stylées :
VOUS DÉCHIREZ

mylifeisbeautiful.fr mylifeisbeautiful.fr

Direction : Jean-Louis-Hocq
Direction éditoriale : Marion Guillemet-Bigeard
Édition : Gwladys Greusard
Correction : Christine Cameau
Conception et mise en couleur de la couverture : Stéphanie Brepson
Conception des cartes : Sophie Delannoy
Mise en pages : Nord Compo
Fabrication : Laurence Duboscq

FSC www.fsc.org MIXTE Papier issu de sources responsables FSC® C003309

ISBN : 978-2-263-15477-5
Code éditeur : S15477P/02
Dépôt légal : septembre 2018

Imprimé en France par Clerc
94, rue de la Brasserie, 18200 Saint-Amand-Montrond

SolarEditions
solar_editions

mylifeisbeautiful.fr
mylifeisbeautiful.fr

http://www.mylifeisbeautiful.fr/

Solar, un département d'Édi8
92, avenue de France, 75013 Paris